JN055091

ひとくち哲学

134の「よく生きるヒント」

ジョニー・トムソン
石垣賀子 訳

Mini Philosophy

A Small Book of Big Ideas

Jonny Thomson

早川書房

MINI PHILOSOPHY
A Small Book of Big Ideas
by
Jonny Thomson

Translated by
Noriko Ishigaki
First published in 2021 by Wildfire
an imprint of Headline Publishing Group
First published 2023 in Japan by
Hayakawa Publishing, Inc.
This book is published in Japan by
arrangement with
Headline Publishing Group Limited
through The English Agency (Japan) Ltd.

装幀／新井大輔

私の好きな二人の哲学者、タニアとフレディへ

目　次

日常の哲学 ………… 251

知識と心 ………… 285

※訳者による注は小さめの（　）で示した。

はじめに

哲学にはときとして、人に敬遠されるイメージがあるようだ。ひょっとすると、哲学者が「間違っている」と言えばすむところをわざわざ「誤謬がある」と言ったり、何かにつけて古代ギリシャを持ち出したりすることと関係しているのかもしれない。しかし、哲学は別にそうでなくてはいけないわけではない。私がこの本を書こうと思った理由もそこにある。

哲学は共感できるものでなくてはならない。実践的で、読んでわかりやすい、身近な存在でなければならない。そして何よりも、楽しくあるべきなのだ。

本書では、さまざまな哲学思想をわかりやすく、読む人に伝わるように紹介していく。難解な用語は一切使わないとはいえないが、使う場合も、項目の最後には意味を理解してもらえるようにするつもりだ。この本は、プラトンやデカルト、ボーヴォワールといった哲学者の名を聞いたことはあるものの、それぞれの思想についてはなんとなくしか知らない、というあらゆる人を対象にしている。構造主義とは、現象学、実存主義とは実際のところなんなのか、読むとよけいに混乱するような分厚い哲学書を苦労して読まずに知りたい、そんな人のための本でもある。近寄りがたい象牙の塔から、家のリビングやカフェや通勤電車へと、哲学を取り戻せたらいいと思っている。

どんな分野であれ、あるテーマに思い入れをもつ人は、簡単に説明することを嫌う。そうすることによってその価値が下がったり、矮小化されて見えたりする面がもしかするとあるのかもしれない。だが誰しも、ときには最初の一歩や入口が必要な場合があるのではないか。そんな気持ちから、この本ではさまざまな哲学者の思索をひとつずつ紹介し、願わくはさらに深く掘り下げて知りたいと思ってもらうよう意図している。いわば哲学の世界へいざなうロードマップだ。

人は誰でも哲学的な疑問を抱いていて、どんな人も哲学者になれる。私はそう固く信じている。手はじめとして、過去の偉大な賢人たちからヒントを授けてもらおう。

倫理

人は日々、たくさんの「倫理的な」決断を下しながら生きている。他者に影響をおよぼす行為はすべて、なんらかの形で倫理がからんでくる。例えば盗み、嘘、殺人、手助け、気づかいといった行為の「善悪」もそうだし、勇気、忠誠心、誠実さ、愛情、徳など、その人の人格が関係してくる場合もある。

倫理とは行いの善悪、人の善悪をめぐる問題だ。

プラトン

ギュゲスの指輪

道を歩いていて、恐ろしげな歯をむき出した老婆に出くわしたとする。老婆はあなたに小さな、不思議な贈りものをくれた。魔法の指輪だ。指輪には、持ち主の姿を見えなくする力がある。姿が見えなければどこにでも行けるし、何だってできる。誰にも見つからない。さて、この指輪があったら、あなたは何をするだろう？　この不思議な力を何に使うだろうか？

これは「ギュゲスの指輪」と呼ばれる思考実験で、プラトンが主著『国家』（紀元前375年ごろ）で最初に提示した。民衆は生来「正しい」ものだとする考えかたに疑問を投げかけたのだ。プラトンは『国家』の中で師であるソクラテスに、正義は権力者が説くよりずっと深いものであり、かつ単にみなが自分の利益だけを考えることとも違うのではないか、と語らせる。一方、もうひとりの人物グラウコンはずっとシニカルで、ソクラテスが唱える誠実で正しい人間像という理想主義的で高尚な考察に対抗するかたちで、ギュゲスの指輪の話をしたのだった。

この指輪を手にした者は誰でも、すぐさま自己の利益のために利用する、とグラウコンは考える。魔法の力を手に入れれば、正義や道徳、法や良識などはたちまちうち棄てられる、というのだ。プラトンはグラウコンに次のように語らせる。「もし誰かが姿を消せる力を手にして、何も悪事をおかさず、他人のものに手を出したりもしないとしたら、（略）なんともあわれなばか者だと思われるだろう」

自分ならどうするか、友人にたずねてみよう。そしてあなたならどうするだろうか。笑えるような答えも出てくるだろうし、興味深い答え、不穏な答えもあるかもしれない。本音のところではどうだろう。盗みを働いたり、どこかへ侵入したり、誰かを襲ったり、あるいは口に出せないほど悪いことをしたり、絶対にしないといえるだろうか？　たいていの人は認めないだろうが、そういうことを考えたり、夢想してみたりする人は少なくないはずだ。

ギュゲスの指輪が示すのは、力が人を堕落させるというよりも、むしろ人の真の本質を明らかにする点だ。人は誰もが内面に小さな独裁者を秘めている。私たちに正しい行いをしようと思わせる原動力は、社会的判断、すなわち壁の向こうからのぞいている隣人の存在である。私たちをまっとうたらしめるものはただ一つ、他者が下す判断なのだ。

この思考実験においてグラウコンが正しいとしたら、私たちが政治家や指導者、巨大企業を見る際にどうすべきかをおおいに物語っているといえるだろう。人はみな、抑制と均衡が、あるいは抑制をきかせるためのなんらかの権力が必要だ。正義は常に執行され、透明性がなければならない。国家機密、企業の言い逃れ、政治家がいう聞こえのいい嘘は、もしかするとギュゲスの指輪をまさに現代に体現しているのかもしれない。

ベンサム

快楽の計算

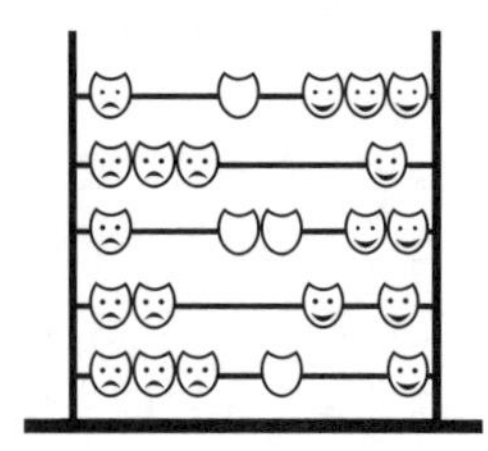

何が正しい行動なのかを判断できる方法がこの世にあったとしたら、どうだろう？　そのときどきのさまざまな状況でどう行動すべきか教えてくれる、簡単なよりどころがあったらすばらしいのではないだろうか？

この課題に快楽計算という方法で取り組んだのが、18世紀の英国の哲学者、ジェレミー・ベンサムだった。

ベンサムは規範倫理学（人がどう行動すべきかをめぐる倫理学）のひとつである功利主義と呼ばれる学説を構築した。功利主義は、行為が正しいか否かはそれが生み出す結果によって決まると考える。具体的には、その行為によって効用や快楽が多くもたらされるのなら善、不幸や苦痛の方を多くもたらすなら悪だ。「正邪の基準は最大多数の最大幸福にある」とベンサムは述べた。

したがってベンサムからすれば、ロビン・フッドは正しいが、19世紀の強盗ブッチ・キャシディは正しくないことになる。第二次世界大戦は（連合国にとっては）善、チンギス・ハーンは悪。10人を救うために1人の命を奪うことは正しいが、連れ去られた王女を取り戻すために戦（いくさ）を始めるのは正しくない。簡単にいえば、人々を幸福にし、苦痛を最小化せよ、行為の結果に目を向けよ、ということになる。

ところが、大きな疑問が立ちはだかる。ある行為から生じるプラスの結果とマイナスの結果の総量をどうやったら確実につかめるのだろうか？　そこでベンサムが出した答えが、先の快楽計算だ。

ベンサムはすべての行為について、その行為がもたらす快楽と苦痛を七つの要素に基づいて計算するよう説く。七つとは強さ、長さ、確かさ、近さ、多産性（その行為がさらなる快楽を生み出すか）、純粋性（その苦痛はさらなる苦痛をつくり出すか）、範囲だ。これらをしっかり把握し、自分の行為が招く結果についてきちんと知っているほど望ましいことになる。

というわけで、快楽計算というツールを手に、快楽と苦痛の量を計算し、総合してみよう。そうすれば答えが出て、どう行動すべきかがわかるのだ。こんなにわかりやすい話があるだろうか。何でも数字で表す時代にふさわしい善悪の判断法だ。合理的な人間のための倫理学である。これでもう心配は無用。

あとは、やってみるための少しの時間さえ確保できればいいのだが。

アリストテレス

徳とは中庸

人は誰でも、正しいときに正しいことをしたいと考える。徳の高い人間でありたいのだ。でも、そのときどきの状況でどう行動することが正しいのか、どうやってわかるのだろう？　勇敢でありたいけれど、無謀なことはしたくないとしたら？　礼儀は守りたいけれど、心を開かない人にならないようにするには？　あるいは、自信が傲慢に変わるのはどんなときだろう？　寛容が恩着せがましさになるのは？

プラトンの弟子、アリストテレスは『ニコマコス倫理学』でこの問題を論じ、「黄金の中庸」という答えを導き出した。

倫理にかなった行い、すなわち正しい行動とは、結局は徳高くあることに行き着く。実践し、繰り返し、他者を模倣することによって、人はどんな徳においても修練を積むことができる。優しくなりたければ、人に優しくする行為を積み重ねるだけだ。寛大な心をもちたければ、寛大な人のまねをする。行動すれば、自分もそうなる。アリストテレスはこう説いた。「人は繰り返し行う行動によってつくられる。したがって優秀さとは単発の行動ではなく、習慣である」

しかし、それぞれの状況で何が徳にかなった行動なのかは、必ずしも明快なわけではない。道徳的な判断や選択は一つとして同じではない。ある場面では勇敢とされた行動が、違う場面ではそうみなされないこともある。昨日は率直さが優しさになったとしても、別の日にはそれが痛烈な冷酷さにもなる。であれば、どうすればいいのだろう？

アリストテレスは、よい行いとは両極端の「中間」であると論じた。徳にかなった行動とは、過剰という悪と不足という悪の中間にある、というのだ。無謀と臆病の中間が勇気。寡黙で不愛想（ぶあいそう）と、感情の過剰な表出の中間が礼儀正しさ。けちでもなく浪費でもないのが寛大。つまるところ、古代ギリシャの詩人ヘシオドスも書いたように「何事につけても中庸がよい」のだ。

ただし、この「黄金の中庸」はいつも容易に見つけられるわけではなく、実践を要する。アリストテレスが実践知（フロネシス）と呼ぶ、実践から得た知識が必要になる。人がよい行いをし、徳を実践していけば、ジムで筋肉を鍛えるがごとく、やがてこの力が磨き上げられてゆく。実践知を通じて、本能的に、黄金の中庸がどこにあるかを見抜けるようになるのだ。そうすれば、人は道徳を備えた理想的な市民となり、いつだって何をすべきか、何を言うべきかを心得た人間になれる。そしてやがて、あとに続く年少者が私たちをまねて、同じように完璧な徳を備えた人物になるかもしれない。

カント

「みんながこう行動したらどうなるか」を考える

ONE MAXIM TO
RULE THEM ALL

世界の人々がみな、あなたと同じように行動したとしたらどうなるだろう？　それは優しくて幸福なよい世界だろうか？　それとも、そんなところで暮らすのはまっぴらだ、と感じる世界だろうか？

18世紀ドイツの哲学者、イマヌエル・カントが説いた定言的命令（定言命法）の第一の原理の背景にあるのが、この考えかただ。

カントはこう記した。「畏敬の念をもって私の心を満たすものが二つある。私の上にある星の輝く空と、私の内にある道徳法則である」。一人ひとりの内には普遍的な道徳性が備わっていて、人間はみなそれを行動に移せる能力を授けられている、とカントは考えた。この道徳法則には人間の優れた理性を通じてのみ従うことができる。ということは、道徳的であるためには、理性を働かせなければならないことになる（感情や「直感」と対立するものとしての理性）。

カントいわく、人間の理性は生きるよすがとする「格率」（道徳上の規則、行動の原理の意）を定める。どんな状況でも、人にはさまざまな格率が提示され、道徳を実践する主体である人間自身がどの格率に従うかを決めなければならない。理性が適切に作用したとき、どんな道徳行為が「命令」になるべき（つまり実践しなければならない）か、言い換えれば義務なのかを教えてくれるのだ。

理性がこれを決めるには三つの方法があるが（カントは「定式化」と呼んでいる）、もっとも知られているのは一つめの「普遍化可能性（universalisability）」だ。メアリー・ポピンズに出てくるマイナーな曲名のようだが、いってみれば「みんながそうしたらどうなる？」と問いかけることを指す。親が子に注意するときの世界共通の声のようなものだ。

「嘘をつきたければついてもいい」という原理があるとする。あらゆる人がそのように行動したら、嘘をつく行為は日常化してあたりまえになり、嘘も真実も意味をもたなくなって、嘘（すなわち意図的な非真実）そのものが存在し得なくなる。もともとの原理が崩れてしまうのだ。あるいはみんなが隔離措置に従わなかったら、隔離という考えかた自体が定義の上で意味をなさなくなって成立しない。不貞や盗みについても同じことがあてはまる。

このような格率は、すべての人にとっての普遍的な法則になると格率ではなくなる。ゆえに、嘘をつかないこと、隔離に従うことは義務なのだ。こうして格率ではなくなる義務をカントは完全義務と呼んだ。

一方、カントが不完全義務と呼ぶものもある。こちらは理性だけで決まるのでなく、各人の選択や欲求に左右される点で不完全とされる。例えば「他人を助けてはいけない」という命令は論理の上では破綻（はたん）しないが、すべての人がこれに従えば、暗澹たる世界になるだけだ。

「定言的」とは「無条件に、それ自体のためにその行為をする」ことを指す。映画を観るという純粋な楽しみのために観るのはそれにあたる。そう考えると、「定言的命令」という呼称の意味も見えてくるのではないだろうか。

道徳的な価値観をめぐる葛藤（モラルジレンマ）にぶつかったら、カントが提言したこのシンプルなものさしを使ってみよう。いったん立ち止まって「これをみんながしたらどうなるか」を考えてみることだ。

アイン・ランド

利己主義

SNSでアピールできないとしたら、親切な行為をする意味はどこにあるのか。誰も称賛してくれないのなら、なぜ困っている人に寄付をする？　いい行いをするなら、誰かが見ているところでやらなければ！

これがアイン・ランドの提唱する「合理的利己主義」の世界だ。足を踏み入れて、どんな世界なのか（こっそり）見てみよう。

20世紀のロシアに生まれたランドは、人が自分の利益を守ろうとするのは理にかなっていて自然なことだと考えた。いかなる関係性も、行動も願望も、個人としてのその人自身にどれだけ有益かによって判断されるべきだという。自己の利益が満たされる行為であればあるほど、行動に移す動機も大きくなる。

慈善事業にお金を送るのは、それが友人たちに対する自分の心証をよくするから。ご近所さんの柵の修理を手伝うのは、次に嵐がきたときに自分が手を貸してもらう必要に迫られるかもしれないから。結婚するのは安定と幸せが得られて、子どもがほしいという願望をかなえてくれるから。すべてしっかり計算しつくして、折々に「この状況で自分にとって何が得か」をじっくり考えなければならない。「合理的利己主義」のレンズを通せば、それが自分に何をもたらすかを基準にあらゆる行動を見ることになる。

実行すると人生にマイナスに作用する行為の場合、この原則に従うのはまったくの不合理になる。自分の人生を犠牲にする行為は必ず不適切になる（ただし自滅を望むなら別だとランドは述べる）。つまり、すべてのことは役立つかどうか、すなわち「自分に何をもたらすか」を条件に検討される。ランドの世界観では、人と人のあらゆる交わりはすべて、あたかも契約書における法的当事者間のそれになり、お互いが理性ある自分にとって最善の選択をしようとする（それが双方にとって利益をもたらす場合も当然あるが）。

ランドのこの考えかたは好まれるか嫌われるかのどちらかになりがちで、不当に誤解されたり、いわゆる藁人形にされたりしている。ランドも、例えばケガをした犬を保護したい、他人に手を差し伸べたい、という道徳的な衝動を抱かずにいるには「サイコパス的な」側面を持ち合わせていなければならないと認めている。それでも、これも「情けは人のためならず」、つまり「人にしたことはいずれ自分に返ってくる」を一般化した結果だとするのがランドの立場だ。誰もがいつも互いに助け合っていれば、単純にみんなにとっていい世界になる。いってみれば自己利益のカルマだ（エピクロスの思想もこれに近い。269ページ参照）。

というわけで、なんらかの形で自分を犠牲にしろと誰かに迫られたり、受けられる恩恵や利益を放棄するよういわれたりしたら、なぜなのかたずねてみよう。自分自身を二の次にすることのどこが理にかなっているというのか。どんな知性がなぜみずから放棄したりなどするだろうか？

コント

利他主義

クリスマスで家族が家に集まっているとする。みんなは別の部屋でテレビを見ている。あなたが何かつまみたいと思って棚を物色していると、開封した高級チョコレートの箱が出てきた。好きな店のものだ。が、これは家族みんなのお気に入りでもある。この瞬間、あなたの存在はまるごと、利己主義と利他主義という二つの力がせめぎ合う戦場となる。果たしてどちらが勝つのか？　あなたはこのチョコレートを食べてしまうのか？

「利他主義」という用語をつくり出したフランスの哲学者、オーギュスト・コントによれば、こういうとき、人は自分の心に強い意志で呼びかけ、みずからの利己主義を振り払わねばならないという。利他主義が勝つことは可能なのだ。ただし、時間をかけて育（はぐく）み、強化すれば。

人間の本質に通じていると自任していたコントの主張は、多くが現在「進化論的利他主義」と呼ばれる思想に基づいている（コントはダーウィンが『種の起源』を書く2年前の1857年に死去）。人間はみなきわめて利己的な強い「情動的な力」に突き動かされている、人は本来自己の利益を求め、手に入るものは手に入れようとする、とコントは考えた。

だがコントは、人は衝動の言いなりになるだけの奴隷だと思っていたわけでも、そうした衝動は神の定めだと思っていたわけでもない。人間はすばらしい精神を与えられていて、運命は遺伝子的に定められているとする説にとらわれることなく、それを超えられると考えた。人間の「人格」あるいは「個人主義」と呼んでいるものと、単にお互いに面倒を見あおうという意味の「集団主義」とのあいだにあたかも対立が勃発しているかのように見えてしまう理由はここにある。実際は「私」か「私たち」かなのだ。

対立で勝つために、人は生得の利己主義を乗り越えて「他者のことを考える」ようにみずからを仕向けることができる。というより実は、私たちはこれを日々のちょっとした行動ですでに実践している。例えば多くの人がやっているであろう、後ろからくる人のためにドアを押さえて少し待つ行為。そうしたからといってなにも自分自身の得にはならないけれど、ほかの誰かの役に立つ。さらにいえば、ほとんどの人にとってあまりに日常的な行為になっていて、特に考えもしない。利他主義はこうしてさらに大きな規模で私たちの行動に組み込まれていく。

これはすべて、ささいなことではないとコントは論じる。私たちみんなの満たされた幸福な人生と「安定」にかかわるのだ。「自分以外は一切愛さない」利己的な人間は「制御不能な興奮状態」にあると糾弾する。言い換えれば、常に際限なくもっと多くを求め続ける人のことだ（ショーペンハウアーも100年後に同様の考えかたを述べている。64ページ参照）。真の満足は、貪欲で気まぐれな自分の欲望しか眼中にない自己を否定し、自分以外の誰かや何かのために生きられるかどうかにかかっている。自分の外の世界に思いやりを投げかけられたときに理想は体現される。

というわけで、冒頭のチョコレートを食べてしまうべきかどうかの答えを考えるなら、人間としての高度な能力に忠実でいよう。本能はあざ笑うかもしれないが、あなたはそれだけの高みを目指せるはずだ。人は手に入るものならばすべて卑しく手に入れるよう設計された生ける機械ではない。利他主義によって人はもっとスケールの大きな存在になれるし、より深い幸福感を受け取れるのだ。

アベラール

意図の善悪

二人の人物が法廷で裁かれようとしている。一人はふざけて銃を1発撃ったところ、弾が建物の壁に当たってそれ、結果的に友人を死なせてしまった。もう一人は昔の恋人が帰宅する後をつけていき、彼女に向けて撃った。だが弾は大きく外れて当たらず、計画は未遂に終わった。二人のうち、どちらがより重い罰を受けるべきだろうか？　運悪く重大な結果になってしまった一番目の人は終身刑を言い渡されるのか。二番目の人は「道徳的運」のおかげで軽い罰ですまされるのだろうか。

12世紀の哲学者、ピエール・アベラールが案じたのはこのことだった。

アベラールの時代、社会における道徳律の中心として圧倒的な力をもっていた教会は、行動は正しいか誤りかではないと主張した。近親相姦、盗み、神への不敬などは、行為者の意図や予知していたか否かにかかわらず、常に誤りであるとみなした。

アベラールはこれをばかげていると考えた。ある行為の道徳的価値はもっぱらその意図によって決まると主張したのだ。例えば、生まれてすぐ離ればなれになった二人のきょうだいの話がある。二人は年月を経て出会い、互いの関係をまったく知らず恋に落ちた。この二人の行為は罪ではないとみなすのがアベラールの立場だ。一方、教会から見れば二人はきわめて罪深いとみなされた。

今日では常識に思えるが、当時、アベラールは革新的だった。性的な交わりさえ罪ではないと説いたのだ。教会は婚姻関係にある者同士の性の快楽を認める一方、婚外であれば同じ行為がいきなり肉欲の罪とされるのだとすれば、明らかにその行為自体は道徳的か否かに直接関連しないことになる。

さらに物議をかもしたのが、キリストを死に追いやった者はとがめられるべきではない、キリストの神性を知らなかったのだから、とみなしたことだ。十字架にかけられたキリストもこう言っている。「彼らをお赦（ゆる）しください。彼らは何をしているのか自分でわからないのです」

ただし、倫理の問題はいつもそうだが、そう単純明快ではない。行為の主体の意図はどうすれば確かめられるのか。自白の意味するところをよく承知している殺人者は、計画的行動だったことをまず認めたりしないだろう。アベラールなら「神はお見通しだ」というところだろうが、現代ではそれは通用しない。現在の法廷なら、多方面から人物像を調べ、あらゆる証拠を照らし合わせて、状況の妥当性を検討する。おそろしく労力を要するし、誤りが入り込む余地もきわめて大きい。

それに、無知と不注意による過失との微妙な線引きをどうとらえたらいいのか。「銃がそんなに危険なものとは知らなかった」というのは、自己弁護として認められるのだろうか？　クリフォードの項（43ページ）でもふれるが、われわれはどこまで他者に知る努力を求めるのだろう？　みずからの行為がもたらす影響について、私たちはどこまで把握することを期待されるのだろう？

こうした考慮すべき点はあるものの、アベラールが倫理学とのちの世俗法にもたらした功績は大きい。迷信に翻弄された激動の時代にあって、アベラールは理性を照らす光であり、私たちは今もその功績を土台にしている。

シンガー

偏愛

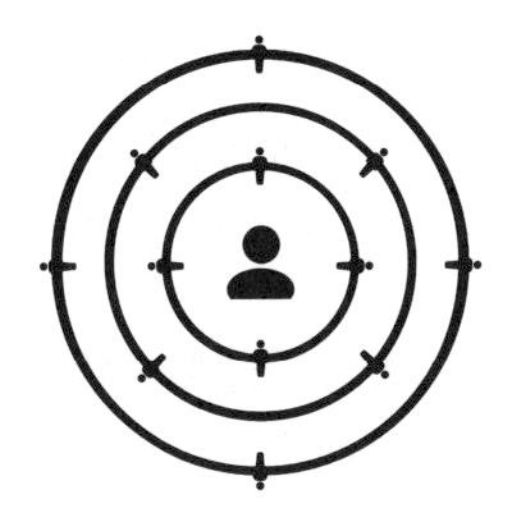

「平等」は人間が言葉にする最大の嘘だ。あらゆる人を等しく扱います、人はみんな平等です、と私たちはいかにも道徳的なそぶりで口にする。だが実際はほぼ毎日といっていいほど、誰もが人を区別したり偏った扱いをしたりしている。たちが悪いのは、それが間違いだとすら思っていないことだ。

こんな問いがある。どちらか一人だけを助けられるとしたら、自分の母親と知らない他人のどちらを選ぶだろう？　遺産を渡すとしたら誰に託す？　わが子になら自分の腎臓を差し出して移植手術を受けさせても、見知らぬ人にはそうしないのはなぜだろう？

どのケースでも、私たちは一部の人を他の人より上に位置づけ、その人には何かを与えている。つまり平等に扱ってはいない。これが差別でなければ何だろう？

オーストラリア出身の哲学者、ピーター・シンガーが「輪の拡大」と名づけた概念でこれを取り上げた。シンガーは1981年に同名の著書を出している。

自分の家族や友人にいいように取り計らい、他と差別して扱うことをシンガーは明らかな不道徳ととらえ、その問題に取り組もうと試みた。

リチャード・ドーキンスは1976年の著書『利己的な遺伝子』(紀伊國屋書店)で、自分の仲間を世話し育てようとするのは進化心理学からすると自然な行為で、そうすれば自分の遺伝子、自分の家族の遺伝子が守れるからだと説いた。そうなるとわれわれの利他的な輪は小さく、取る行動も進化の営みという目的にかなった行為に限定される。ドーキンス自身は人間は常に進化の法則に従った行動を取るべきだとまでは断言していないが、それが自然であり道理にかなっていると論じている。

しかしシンガーは、生物学的、あるいは進化論的な「事実」であっても、それがすなわち道徳的とはならないと指摘する。事実そのものは義務にはならない。「〜である」という事実から「〜すべき」という義務は生まれない。

人間は単に生物学的な刺激を受けた結果、現在の姿に至ったにとどまらない、とシンガーは説く。合理的行動を取れる独自の能力も備えている。進化心理学に執着しすぎれば、人間の存在全体を見くびることになる。人間は生物学的決定論(遺伝子決定論)を超越できるのだ。

人はその誕生以来、理性を動員して「輪を拡大」してきた。ドーキンスの説に忠実に従うなら、私たちが考慮すべきは自分自身と子どもたち、あるいはせいぜい近い親族までにとどまることになる。だが人間はこれまでもずっと、理性を動員して価値と体系をつくり出し、他者の立場に立てる輪を拡大してきた。はじめは助けあう家族の輪を広げた。次に同じ一族、そして国。シンガーにすれば世界だってそうだ。理性と道徳をもってすれば、遺伝子上のつながりを重んじなくとも、すべての人の尊厳と価値を尊重する価値観に沿って生きていける。ガンジーも引きつけた考えかただ(349ページ参照)。

人間は誰もが他者の立場に立って相手を理解する輪を広げられるとシンガーは

考える。社会生物学上の差別を真の利他主義へ、やがては全人類への関心に変えることができる。シンガーは倫理を「合理性か感情か」とは考えず、合理性は人間の本来もっている思いやりを土台に築かれ、それを拡大するものだととらえる。道理にかなえば思いやりの感情は外へ向かい、さらに多くの人を巻き込んでいく。

　では、自分の兄弟を他人より贔屓（ひいき）することは間違っているのだろうか。自分の子にお金を残してやるのはいいことなのだろうか。それは「自然」なことなのかもしれないが、すなわち正しいことになるのだろうか？

カント

人を手段として扱わない

同僚と店で夕食をともにしていると、ウェイターに向かって指を鳴らし「おい！　こっち！」と呼びつける人がいる。あるいはタクシーに乗り込んで、お願いしますもありがとうも一言も言わずに降りていく客がいる。小さな子どもをさらった誘拐犯が100万ドルの身代金と引き換えに人質を解放する。政府にたてつく者がいれば、他からも反乱が起きるのを恐れて抹殺する。ここに共通するものは何だろうか？

イマヌエル・カントによれば、これらはすべて、人間を単に目的を達成するための手段として扱う行為であり、正しくない。

カントが惹(ひ)かれたのは人間の理性だった。人が持っているもっとも偉大な財産だという。何がすばらしいかというと、あたりまえだが何が正しく何が間違っているかを明らかにしてくれる点だ。すでにふれたとおり（20ページ参照）、カントは第一の原理として理性のみをよりどころとする定言的命令を提起した。そして第二の原理は今ふれたことの延長といっていい。この原理を詳しく知るためには、少し立ち止まって考えてみることと、さらに掘り下げた別の本が一冊必要になる。

理性ある人間でいることには無条件の尊厳をともない、人は常にそれを尊重して行動しなければならない、とカントは説く。私たちはみな「どんな場合も人を単なる手段としてだけ扱ってはならず、人そのものを目的として扱わなければならない」のだ。人間は道具や何かの計画の駒として使われるべきではなく、存在そのものに本質的に価値を有する。誰もが尊重されるべき存在だ。

カントがこのように論じた基盤には、人はみな主観的に自身の存在をもっとも大事なものとして価値をおいている、とする前提がある。私は自分を大事にすべきひとかどの人間だと思っているし、あなたもきっとそうでしょう、という前提だ。この世界はそれぞれが主体的存在であるすべての人間から成り立っていればこそ、あらゆる人がそうした価値を有する権利があるのだと普遍的にいえる。私たち一人ひとりが何の制限も条件もなく自分を価値のある存在だとみなせれば、すなわち世界は価値のある人間からなる集合体だといえることになる。

もちろんカントは単純でも無知でもない。社会はお互いに手を貸しあい、助けあい、労力を提供しあって成り立つ。だからこそ、この原理でも「単に」手段として「のみ」扱ってはならない、と表現している。ウェイターも、タクシー運転手も、犯罪者も、その人が人間であることを必ず認識しなければならない。一人ひとりの存在そのものに価値があるのだから。カントは使用人のランペに対しても常に敬意をもって接し、遺書にも彼の名を含めていたとされる。

もしも人への接しかたに迷ったら「自分は相手を一人の人として尊重しているだろうか。何かの目的のための手段として利用していないだろうか」と自問してみよう。わかりやすくて行動に結びつけられるよりどころになってくれるはずだ。

トマス・アクィナス

正しい戦争はあるのか

国が戦争を始めていいのはどんなときだろうか。武力行使が正当化されるケースがもしあるとすれば、どんな場合だろう。スペインによる新世界の征服を過(あやま)ちと考える人は多い反面、第二次世界大戦のノルマンディー上陸は英雄的行動とみなされているのはなぜだろう。どんな状況なら、あなたは戦争に行くだろうか。

13世紀のイタリアの神学者トマス・アクィナスは修道士だったが、こうした問いに関心を向け、正戦論と呼ばれる思想を展開した主要な論者の一人とされている。アウグスティヌスが過去に著した同類の書を礎(いしずえ)に、トマス・アクィナスは『神学大全』で戦争は次の三つにあてはまる場合は「正当」、または道徳的に受け入れられる、と説いた。

(1)「君主の権限」(現代なら「承認されている国家」か)により正当性を認められた場合。個人の功名心からくる気まぐれによるものであってはならない。

例えば、1757年に東インド会社がベンガル地方へ進出しようと起こしたプラッシーの戦いは、一企業がその利益のためだけに相手を攻撃した点で不当にあたる。
(2) 正義のため、「なんらかの過ちを犯したことにより攻撃されるしかるべき理由がある」者に対して行われる場合。したがって、北大西洋条約機構（NATO）によるボスニア・ヘルツェゴビナ紛争への（スレブレニツァの虐殺以降の）軍事介入は正当。同じく人道的介入の類(たぐい)は正当とみなされる。
(3) 被害を最小限に抑え、解決と平和のために行われなければならず、それによって「善を促すか、悪を避ける」場合。1209年、フランスでキリスト教異端のカタリ派を討伐し、ベジエという町の市民を町ごと虐殺した（「皆殺しにせよ、神はみずからを信じる者を見分けるであろう」との言が伝わる）アルノー・アマルリックはきわめて不当だった。

現代では「正当な戦争」を語るケースはまれで、「合法的な武力行使」と呼ぶ。世界各国のリーダーが戦争支持の論陣を張る際、多くがトマス・アクィナスの挙げた条件を引き合いに出す。現在、国際連合が定義する「正当性のある戦争」の範囲は非常に狭く限定されている。国連憲章第51条は、武力行使が正当化されるのは自衛のためのみであり、いかなる積極的な攻撃行動も認められないと記す（トマス・アクィナスはこれが可能なケースもあると認めている）。しかし現在の定義は狭すぎるのだろうか？　戦争が、軍事的介入が正当とされるケースはあるのだろうか。あるいは国連が示すように、戦争は自衛の最終手段としてのみ使われるべきなのだろうか。

シンガー

人間は動物より優位なのか

将来の世代が現代の私たちを評価するとしたら、どの部分を見るだろうか？　今の私たちの生活を将来、孫の世代に話して聞かせたら、ショックを受けたりするのだろうか？　未来のテレビ番組か何かで、利発そうな子どもが「おばあちゃん、それは間違ってるってどうして誰も声をあげなかったの？」とたずねたりするのだろうか？

現代の哲学者ピーター・シンガーは、そのような厳しい批判にさらされうる問題の一つとして、人間による動物の扱いとそこにある偽善を指摘した。動物に対する私たちの扱いかたについて、正当であると説明できる倫理的、哲学的な根拠を示せるか考えてほしい、とシンガーは問いかける。端的にいえば「なぜ、大半の人は動物より人間の方が価値があると考えるのか？」だ。

シンガーが1970年代に提唱し広めた「種差別主義（speciesism）」は、環境倫理と動物倫理の一つで、シンガーは「自身の種の利益のために他の種の利益を損なう偏った態度」と説明する。

他のあらゆる差別主義と同様、社会の慣習によって、また信じてきた概念を批判的に検証してこなかったことによって、固定化された偏見だといえる。

シンガーはすべての命の価値が対等だと言っているのではなく（シンガーは自己認識力の有無に重きをおいている）、苦痛を感じる体験や生きようとする意志においてはどの種も同じである点を一貫して強調する。そしてある行動がもたらす結果のプラス面とマイナス面を倫理理論で評価するのなら、人間だけでなくあらゆる種を考慮しなければならないと説く。

シンガーの種差別主義論は功利主義と連動して展開する（シンガーのいう功利主義では、ある行為の結果として予測される苦痛と喜びを比較して考慮し、正邪を判断する）。あらゆる道徳的判断は、その行為によって人間だけでなく動物、植物、自然にどんな影響をもたらすかまでを考慮してなされねばならない。なぜ人間の快楽だけが問題にされるのか。

21世紀に入った今、世界はよりシンガーの視点へ移行している。今日では、闘牛や闘犬など流血をともなう競技は倫理的に問題があると考える人は多い。人間の快楽のためだけに動物を苦しめるべきではない。そうした流れから、道徳的な判断をする際に動物も考慮するようになってきている。とはいえ、ステーキを食べる喜びは牛の生きる意志より重視されてよい、と考える人はまだ多い。シンガーならこう問うだろう。かつて熊に犬をけしかけて見世物にした「熊いじめ」は禁じる一方、狭いケージに押し込める養鶏は認める。これはどんな道徳上の論理に基づいているのか。

さらに議論を呼ぶところだが、シンガーは種差別主義をきわめて悪質で今の時代にそぐわない偏見とみなし、現在、性差別や人種差別を嫌うのと同じように見直すべきであると主張する。感覚を有する生命、苦痛を感じたり関係を構築できたりする動物の生命を残酷に扱ってよいと考える根拠が、偏見と伝統しかないのであれば、果たしてそれを続けてよいのだろうか？

ジンバルドー

人が残忍な行動をとるとき

もし自分がナチス時代のドイツに生まれていたらどうしていただろう——そう考えたことはないだろうか。自分は周りの人とは違う行動をとったはずだ、と確信をもっていえるだろうか？　誰かにいわれたから、あるいは単に誰かに受け入れてもらいたいからというだけで、大小問わず何か好ましくないことをした経験はないだろうか？　地位と制服と、何でも思いのままにできる裁量を与えられたら、どんなことをするだろう？　ちょっと考えてみてほしい。頭の中で考えるだけならとやかく言う人もいない。

第二次世界大戦のあと、社会心理学者はこぞってこの問いに取り組んだ。ドイツで起きたできごとがあったからだ。歴史と知の伝統をくむドイツの人々が、なぜあっけなく変わってしまったのか。

アメリカの心理学者フィリップ・ジンバルドーは1971年、スタンフォード監獄実験と呼ばれる有名な実験を行った。75人の男性を集め、刑務所の環境を再現し、24人に道具と指示を与えて「看守役」に、他を「囚人役」にした。実験は2週間の予定だったが、一部の看守役がきわめて残忍で攻撃的な独裁者のような行動をとり、6日目で中止された。看守役の3分の1に臨床的に加虐性がみられたとジンバルドーは報告している。

以来この実験は、私たちが持ち合わせているはずの道徳が、社会的に許される状況に限って発揮されるものであることを示す例として、数々の哲学者や心理学者が取り上げてきた。ジンバルドー自身は、個人の気質とモラルは社会的な文脈や圧力を顧みずに過大評価されていると論じた。許可や制服、役割を与えられれば、誰もがアウシュヴィッツ強制収容所の看守になり得るのだ。

しかしその後、実験は多くの批判や見直し論にさらされてきた。

まず、ジンバルドー自身が看守役に対して中立を保っておらず、実験参加者の役割を強化すべく「凶悪な監督者」の役づくりを行っていたことが批判されている。例えば看守役に、映画「暴力脱獄」に登場するすさまじくサディスティックな看守がかけていたようなサングラスをかけさせる、などだ。監獄は制御できない事態になり、ジンバルドーの研究パートナーで実生活の伴侶でもあった心理学者のクリスティーナ・マスラックは実験の目に余る非道さを指摘し、結局中断が決まったのだった。

第二に、看守役のうち実際に加虐的になった者がどれだけいたのか、明確ではない点が挙げられる。極端に暴力的な行動をとった看守役はデイヴ・エシェルマンという参加者一人だったとみられる。エシェルマンは意図的に役をつくりあげて演じ、研究者の考察の題材になればと考えた、と述べている。ほかの看守役はみずから積極的に暴力的な行為に加わったというより、傍観者効果を起こしていたといえそうだ。

このように問題点はあるものの、ジンバルドーの実験は重大な問いを私たちに投げかける。もし、絶対的な権力をもつ立場におかれたら、私たちはどんな行動をとるのだろう。私たちが備える道徳性や価値観をどこまで発揮することができるのか。真摯(しんし)に掘り下げて考えたい問いだ。

クリフォード

信念の倫理

人を不快にさせるような考えを抱くことは、道徳的に間違っているのだろうか？　私たちが責任をもつべきは自分の態度や言動に対してであって、頭の中で考えることはいいのだろうか？　人には特定の信念を守ったり、考えかたをしたりする義務や務め、「認識的義務」があるのだろうか？

英国の哲学者ウィリアム・キングドン・クリフォードは1877年の論文「信念の倫理」でこうした考えを支持した。

一つ例を挙げてみよう。ある客船の船主が、一生に一度の豪華な船旅のチケットを売っている。実は船の安全性にちょっと不安を感じているのだが、修理に出すとかなりの費用がかかる。修理費だけでも痛い出費なのに、船旅を中止すればそのぶん収入が入ってこなくなる。船主はそれ以上深く調べず、知らないまま通すことに決めた。結局、何事も起きずに旅は無事に終わった。この場合、船主が無知でいることは道徳的に責められるべきだろうか。きちんと調べる義務があるのだろうか。クリフォードはそうあるべきだと考えた。

「不十分な証拠を根拠に何かを信じるのは、いつでも、どこでも、何人であっても間違いである」とクリフォードは述べる。この考えかたは「証拠主義」の象徴となった。ちゃんとした証拠に基づく事実だけを信じるべきだとする原則のことだ。

クリフォードの主張に従えば、先の船旅が無事楽しく終了しても、死者を出す悲劇に終わっても、船主は正しくないことになる。しかるべき手段をとり真実を追求しようとしなかった時点で、過ちをおかしている。証拠を得ようと認識上の最善をつくさなかったのだから。

同じように、人種差別主義者も差別的な行為をしたかどうかにかかわらず道徳的に間違っている。レイシストは自身の信念をもっとしっかり見つめなくてはならないのだ。証拠を回避し、打ち消し、けなし、曲解するのは防御にならない。意図的に知らずにいることは常に、何であれ間違っている。

地球平面説を支持する人、反ワクチンを掲げる人、陰謀論を信じる人、占星術師、いずれも確固たる証拠を見つけようとしない点で道徳的ではない、ということになる。

もちろん、この主張には課題もある。どこまでやればしかるべき証拠を追求したことになると、誰が決めるのか？　人間は自分の考えに反する証拠を自然と避ける傾向にある、という確証バイアスはどうなる？　その人の意図にはどの程度重きをおくべきなのか（28ページ、アベラールの問い参照）？　クリフォードはそういうが、そもそも当人の頭の中の信念がなぜ倫理上の問題になるのか？

クリフォードの考えは「信念対行動」という難題へとつながり、両者のあいだの道徳上の違いは明確ではない。人には心に抱いている考えにも道徳上の責任があるのだろうか？　そして思想警察の役割は誰が担うのだろう？

ラブロック

母なる自然、ガイア

視点をズームアウトしてみよう。今、本を読んでいるあなたを上から見おろしてみる。さらにズームアウトして、今いる建物を見おろす。さらに上から、町の果て、木立の果て、あるいは地平線が見える。さらにもっとズームアウトすると、自分が地球になったみたいな感覚で、宇宙を見わたせる。

そのままそこにとどまってみよう。英国の科学者、ジェームズ・ラブロックがガイア仮説（ガイア理論）で提示したのがこの視点だ（ガイアとはギリシャ神話の大地の女神）。

人類全体を視野に入れて、こんなシンプルな問いを考えてみよう。私たちがなにも特別な存在ではないとしたら、どうだろう？　人間が巨大な生命体の歯車の一つにすぎないとしたら？　今だけでなく、何億年もの生の営みの視点から人類を見つめてみよう。人間も、世界にとってははかなく消えてゆく細菌と同じだとしたら？　このように地球の観点から生態系全体をとらえた概念をラブロックはガイアと呼ぶ。

ガイア（地球）はフィードバックループを介し、生態系の変化を用いて全体を維持、統制する。この「ガイアの原理」が気温や海洋の塩分濃度、酸素量、そのほかみずからの生命の維持に必要な要素をコントロールしている。生態系や気候のしくみは果てしなく複雑に思えるかもしれないが、ガイアは日々、そうやって全体を統制する。すべてがあるべき状態で保たれるべく、みずからを調節している。

この理論は、一見して思うほどニューエイジ的でもスピリチュアルでもない。生態系の中で複数の種が互いに影響しあいながら進化する、共進化と呼ばれる現象がある。例えばワシが獲物をつかまえる力を進化させる一方で、ウサギは繁殖力を高め子孫を増やすよう進化する。牛が進化して草を食べれば、草の種子は牛に消化されずに生きのびるべく進化する。チューリップが粘着性のある花粉を進化させると、ハチは毛に覆われた体を進化させて花粉を運びやすくする。この視点で見れば世界全体が進化していて、各生物種は世界を構成する微生物や器官だと考えられる。人間もそうした体系を構成する一要素にすぎない、というわけだ。

これには二とおりの解釈ができるだろう。

まず、人類はガイアに破滅を招く病原体であるとする見かた（映画「マトリックス」でエージェント・スミスが述べている）。人間は気候を破壊し二酸化炭素を排出したあげく、世界を致命的に傷つけた病でありウイルスだ。あるいは機能しなくなったコンピューターの部品で、システムの稼働速度をおそろしく落としている。

もしくは、われわれの存在などまったく無関係だとも考えられる。ガイアはこれまであらゆる病を消し去ってきたのと同様、人間も根絶するのかもしれない。世界は人類が生息不可能な場所になるが、それでも（映画「ジュラシック・パーク」の台詞（せりふ）にもあるとおり）「生命は道を見つける」。人間が生み出した工場や核兵器が海の底に沈んでさびついたずっとあとも、地球上で多種多様な生物たちの命の営みは続く。

　いずれにしても、ガイア仮説は楽観的でもあり恐ろしくもある示唆を含む、興味深い議論を呼び起こす概念だ。

実存主義

実存主義は否定と肯定だ。絶対的、客観的、限定的な規則や規範を否定し、人間の選択、自由、自己決定、アイデンティティを肯定する。かぶっている仮面、偽って生きている自分に気づかせ、自分自身が決めて選んだ人生を生きよと呼びかける。

他者がいう「こうすべき」に従うのでなく、みずから自分の人生の舵(かじ)をとることを求めるのが実存主義だ。

サルトル

自己欺瞞（ぎまん）

自分がとった行動について、ほかの誰かを責めた経験はないだろうか？　「○○でなければ今ごろ△△だったはずなのに！」といらだったことは？　上司が、先生が、親が、友だちがこんなことさせるからだ、と怒りをぶつけたことはないだろうか？

実存主義を唱えた20世紀フランスの哲学者、ジャン＝ポール・サルトルはこうした感情に目をとめ、「自己欺瞞」と名づけた（フランス語では「mauvaise foi」文字どおりの意味は「悪しき信仰」）。

選択できるということは必ずしも楽ではない。選択には責任や期待、何を選ぶかがすべてに影響するという重圧をともなう。自分で決定を下すより、人からこれをやれと指示される方がはるかに楽だ。

そこで人は筋書きや規則や法をつくって、みずからの自由を奪い、みずからの手による選択を捨てるとサルトルは論じる。これは「メッセージがきてもあまりにも即座に返信しない方がいい」のような社会規範をもとにする場合もあれば、「盗みはしてはならない」など法律からくる場合もあるだろう。

　サルトルのいう「自己欺瞞」におちいるのは、私たちがこうした構造と共謀していることを隠すとき、つまり自分の意思ではなく外部の規則がそうさせるからだ、というポーズをとるときだ。概念や規則や規範が人に何かをさせることはできない。実際の行動を起こすのは自分しかいない。

　一日一日、どんな瞬間も、人は選択を迫られる。私たちはいつだって常に自由だ。何ものもそれは奪えない。人間は本質的に自由な存在なのだ。

　サルトルは教え子、そして実存主義を支持するすべての人に対し、みずからの選択の力を自覚せよと説いた。自己欺瞞におちいらないためには心のもちようを根本的に変えねばならない。先生に不機嫌をぶつけてはいけない。学校へ行くことを選んだのは自分なのだから。スピード違反の切符を切られても怒ってはいけない。スピードを出すことを選んだのは自分だから。態度が悪いと評判の友人から失礼な言動をされても、驚いてはいけない。いずれも、そのように行動する選択をしたのはあなたなのだ。その結果は自分で引き受けなければならない。

　自己欺瞞は、そのできごとに対する自分の関与を否定することになる。責任の隠蔽であり、自分が望む自分であることからふがいなく手を引いてしまうことだ。盲従して流れに身をまかせた方が楽に感じるかもしれないが、それは実存的存在である自己の拒絶だ。おおいに怒り、思い悩み、悪態をつけばいい、ただし怒りをぶつける先は自分自身だけ。この瞬間を選んだのはあなたなのだから。あなたがこの人生を選んだのだから。

実存主義と虚無

ある一つのできごとが、人生をがらりと変える。そんな展開を思い描いたことのある人は多いだろう。あの一撃が、叫びが、思い切った行動が、電話が、告白が——決定的な一つの行動があなたの世界をひっくり返す。この道を選んだが最後、後戻りはできない。

この感覚を端的に表すのが「虚無の呼び声」と呼ばれる概念で、選択と本来性を追求する実存主義という哲学への入口にふさわしい。

セーレン・キルケゴールは、人間はみずからが有する力におののくと同時に心おどらせもする、と考えた。ジャン＝ポール・サルトルは、人間はみな「無」でありたい、選択肢がないがずっと楽な、考える必要のないロボットのような状態でいたいのだと論じた。選択には責任をともない、責任には重圧と不安をともなうからだ。選択を誤っても、非難の矛先を向ける相手がいない。

このように、私たちがみずからに対していかに責任を背負っているかに気づき、自分の行動がいかに強大な、怖くなるほどの力をもつかを認識したとき、ふと顔をのぞかせるのが「虚無の呼び声」なのだ。

よくある、ありふれた感情だ（毎日のように日常的に抱くとはいわないが）。駅のホームに立っていて、目の前を列車が猛スピードで通過していくときのびくっとする恐怖感がそうかもしれない。崖の端に立って下を見おろしたときの、目がくらむような感覚もそうかもしれない。言葉にせずに自分の中だけにしまってあるそうした思いもそうである一方、しーんとした図書館でふと叫びだしたくなるような深刻でない衝動のときもある。

虚無の呼び声は自分の心の奥深くから聞こえてくる「やってもいいんだぞ」という声だ。自分が何かおかしなことをやらかさないとは信じきれない、妙な感覚。このとてつもない行動を実際にとるわけなどない理由がいくらでもあるのだが、心のどこかで本当にこれでいいのだろうかと思いめぐらせている。万物をつかさどる、絶対的で具体的で客観的な宇宙は、あなたがそうした行動に走らないよう止めてくれたりはしない。すんでのところで警察や親や神様が目の前に立ちはだかってくれるわけでもない。自分自身を信じるしかなく、そのことに足がすくむような思いがする。

これは自滅的でも破壊的でもなく（かといって真剣に考え抜かれた結果でもない）、むしろその反対だといっていい。こうした場面で人は自分に備わる甚大な力を感じる。選択という行為の重大な重みを感じるのだ。

実存をひっくり返し、すべてを変えられるのは誰でもない、自分以外にいない。ごく小さな、ささやかな行動でもって、あなたは万物をつかさどれる。

その感覚に支えられ、力づけられて、みずからまた日常へ戻るのだ。

モンテーニュ

よき死とは何か

人生はままならない。心配、執着、不安、恐れ、手に負えないモンスターやゴーストに満ちている。こうした諸々を振り払うにはどうしたらいいのか。どうすればたいしたことではないと折り合いをつけられるのだろうか？

そういうとき、哲学にはシンプルだが使える方法がある。「メメント・モリ（memento mori）」だ。

メメント・モリ（ラテン語の元の意味は「死を思い出させるもの」）は、自分がいずれ死すべき存在であることをいつも意識せよという考えかただ。死を思えば、本来ささいなことはささいなこととして対処でき、人生につきまとう心配や不安を「それは本当に大事なことなのか？」という視点でとらえられるようになる。

ストア哲学を代表する哲学者だったローマ皇帝マルクス・アウレリウスはこの考えかたを重視した。死を自然かつ必然と位置づけ、折にふれ死を意識していれば、少しでも多く所有したり、世俗的な豊かさを追い求めたり、はかなく消えるものに固執したりすることからくる不安を解消できると説いたのだ。いずれすべてが塵と化すのだから、つかの間に過ぎてゆく時間を不安にさいなまれ無為に送って何になる？

古代エジプトでは、ミイラとなった人間を宴の場に同席させた。食卓についた者たちは「食べ、飲め、楽しめ。みなじきにこうなるのだから」と声をあげたという。旧約聖書の「伝道の書」にもほぼこれと同じ言葉が記されている。

ルネサンス期のフランスの思想家、ミシェル・ド・モンテーニュはこのメメント・モリの考えを好み、墓場に近い場所で生活するといい、とすら述べた。「死を未知のものでなくさせよ、われわれを死に慣れさせよ」とも記している。モンテーニュにとって、メメント・モリ、すなわち死を思うことは死に執着することではなく、生を意識することへの出発点なのだ。

中世のキリスト教社会やルネサンス期の人々は、死神や死者、頭蓋骨をかたどった装身具をよく身につけていた。死を身近においていれば、この世の生がより満たされる、というわけだ。

私たちも実践してみよう。そして自分が死を迎えるときのことを考えてみよう。いつ、どんな理由で、どこで、どのように死ぬか、じっくり思いをめぐらせてみる。その恐れ、果てしない未知の世界、その瞬間の圧倒的な孤独、一人で旅立つ別離、傍らにいる残されてゆく大切な人の存在に、思いをはせてみる。この本を閉じて脇に置いてみてもいい。

死は必ず訪れる。

その事実にとことんまで向き合うと、日々の悩みは小さくしぼんでゆく。職場の上司がどう思っていようといいじゃないか。友人がひどい発言をしたって、気に病む必要なんてあるだろうか。自分はなぜ大切な人にあたったりしているんだ？

人生は果てしない闇の中につかの間ともるろうそくの火だ。死を思うとは、ささいなことにとらわれず、真に大切なものを大切にするための教えだといえる。

ニーチェ

力への意志

あなたの心が折れるのはどんなときだろうか。退屈でつらい仕事や苦痛、うわべだけの無駄なやりとりがとうとう限界に達するのはいつだろう？　人生は一度きりしかないのに、ただ奴隷のように耐えながら、いやいや無為に過ごしている。数億年かけて進化してきた人類のなれの果てが本当にこれなのだろうか？　われわれは総じて退行してしまった。うつろに嘆くばかりの「人間の退化」だ。

19世紀後半、フリードリヒ・ニーチェは近代社会をそのように見ていた。

生あるすべてのものの核をなすのは力への欲求だ。生物学的にいえば、ダーウィンが論じたように自分の遺伝子を残すための熾烈(しれつ)な戦いを繰り広げているのだが、それ以上に、生ける者の普遍的本能は制御し、支配し、ほしいものを手に入れることにある。コンクリートを割って伸びる木の根しかり、ライバルと対決して蹴落とす雄鹿しかり、人間も同じだ。

力や高潔さ、強さはかつては称えられ崇(あが)められた。人はかつて、いにしえのスパルタの戦士であり、恐れを知らないサムライであり、北欧のドラゴンスレイヤーだった。英雄や征服者たちを叙事詩で謳った、誇り高く勇敢な人々だった。それがどこでどうなったのか、狂ってしまった。気高い自己を見失ってしまったのだ。

同じころ、人類はじわじわと病に侵されていった。つつしみ、同情、あわれみだ。汚れなき者、施しを求める者、哀れな者は突如として神聖な存在へと高められた。怒れる者、尊大な者は「死に至る罪」とみなされるようになった。巨人を倒すトールやヒュドラを退治するヘラクレスが去り、貧しい大工の子イエス・キリストが現れ、十字架にかけられ辱めを受けて死んでいった。

この転換は生を牽引するあらゆる自然の原動力に反している。いわば「無への意志」であり、生きようとする衝動、万物の核をなす「力への意志」の否定だ。

強さや力を悪とみなすようになった今、人はこの力への意志を内面に向けざるを得ない。独占的な支配はご法度であるなか、われわれの意志は「罪悪感」や「良心の痛み」の形で飲み込まれる。人類はみずからを「引き裂き、迫害し、むしばみ、妨害し、痛めつけ」ている。ほかならぬ、自分たちが人間であることを抑制したからだ。われわれはさながら、つながれ口輪をはめられ、檻の網に体をこすりつけて傷ついた野生のオオカミだ。

ニーチェはこの状態を死と同じとみなした。われわれは生の根源をなすあらゆる側面を見直さねばならない。高潔さと力を取り戻さねばならない。堂々と、はばからずに再び生きなければならない。それが力への意志だ。

ハイデガー

死を思って生きる

ドラキュラはいつもどおり、400歳の誕生日を迎えた。棺桶に横たわったまま蓋の裏をぼんやり見つめ、ただじっとしている。起き上がる必要などない。名交響曲をいくつも作ったし、輝かしい名画も描いた。勇壮な英雄たちを倒してきたし、絶世の美女たちを愛してきた。名だたる人物にはすべて会い、あらゆる種類の人間を味わいつくし……。でも、もうこれ以上はいいではないか。際限なく続くのであれば、一日一日の意味は失われる。

20世紀を生きたドイツの哲学者、マルティン・ハイデガーは何が問題なのかを見抜いていた。ドラキュラには本来性が欠けているのだ。

われわれは長らく、人間であることの本質的な側面、人間にとって避けられない、不穏に迫りくる事実に目を向けずにきた、とハイデガーは警告する。人はみな死ぬのだ。私たちはあらゆる労力を費やして、死にかかわる一切合切を隠し、死から意識を遠ざけてきた。おとぎ話は「いつまでも幸せに暮らしました」で終わり、死などみじんもにおわせない。病院もホスピスもあの世との間にしっかりロープを張って立ち入らせない。死者の肉体など目にしたことのない人ばかりだろう。

私たちは死を目につかないところへ隠す。近づいてくる死を見ない。「そんな縁起でもない！」と口にする。

このため、私たちは人生の多くの時間を毎日の決まった仕事や気をそらす物事に埋もれるようにして過ごす。いずれも、すべての人間に定められた死すべき運命をおおい隠すために意図されたものだ。人生のもっとも重大な局面を隠喩や婉曲でくるんでしまう。

死という終焉が最後になければ、人間は意味を見いだせないとハイデガーは考えた。永遠に存在するつもりでいたら、自分の選択には次はないという事実を受け入れないまま非本来的に生きることになる。自分が選びとる一つひとつの決定がもつ重みの価値もわからない。自分で決めたすべての選択それぞれがほかでもない唯一無二の人生を自分に与え、やり直しはきかない。進む道は一つしか選べない。死を認め受け入れなければ、本来あるべき形で生を営むことは決してかなわず、やりたいことは何でも（いつかそのうち）できるかのように錯覚して生きてしまう。

ドラキュラには自身の存在に終わりがなく、それゆえ、その一瞬一瞬に味わいも重みもない。死すべき人間の心は不死を引き受けるようにできていない。最後に行き着く孤独な死（真の恐怖はこの孤独にある）から目をそむけ、永遠の存在であるかのように生きることは、本来的な生を否定すること、意味も責任もなく生きることだ。自分がいつか存在しなくなることに向き合わなければ、日々の生は無意味になる。

人には時間と死という碇（いかり）が必要で、さもなければ自分自身からも遊離してしまう。すべてに意義をもたせるには死と向き合わねばならない。おとぎ話をめでたしめでたしで終わらせるのは、そうすれば不安を鎮められるからだが、それは同時に人間のありかたを崩壊させてもいる。夕日の美しさはやがて消えていく光にあり、愛の痛切さはその終焉にある。確実に刻まれてゆく時は人に夢を描けと駆りたてる。今日のあなたの選択は後にも先にも一度きりだ。だからこそ、それだけ価値あるものにしなければならないのだ。

カミュ

不条理

大雨のなかずぶぬれになって立ちつくしながら、なぜか笑えてきた、という経験はないだろうか？　あまりにひどい状況におちいって、自分ではお手上げなくらいに悲惨だったりすると、もう笑って受け入れるしかない、するとすべてがいとおしく思えてくる――。アルベール・カミュはこれを不条理と呼んだ。

一般に実存主義者とみなされるフランスの作家カミュは、人生にはわれわれを導いてくれるような客観的な法則などない、というシンプルな考察を出発地点にしている。人間には（アリストテレスのいう）「目的」などない、（カントのいう）道徳法則もない、待ち望む来世もない。ただ荒涼としているだけだ。

カミュは1942年の随筆『シジフォスの神話』で「存在の不条理」を描いた。数々の悪事によりギリシャの神々の怒りを買ったシジフォスは、大きな岩を山の上へ運び続ける罰を受ける。岩は山頂の目前までくるたびに下へ転がり落ちるため、シジフォスは永遠にこの苦行を続けなければならない。

人間も同じく、日々の営みを続けながら、すべてはいずれ無に帰ると心の奥底でわかっている。どんなに力があってもなくても、人はみなやがて塵と化す。すべては不条理だ。どんなに日々の雑用やりっぱな仕事に精を出し忙しさに紛らわせても、万物はいずれ消えるとわかっている。人生は徒労だ。沈みゆくタイタニック号で楽団と一緒につかの間の時をやり過ごしているだけなのだ。

　カミュはこう書いた。「真に重大な哲学上の問題は一つしかない。自殺である」。しかしカミュの考察はここで終わらない。それではニヒリズム（虚無主義）に屈することになり、それはやってはいけない。

　不条理が問題になるのはわれわれがそれに抗い、腹を立てたときだけだ。シジフォスが課された労働を嫌うとすれば、それまでの人生と比較するからこそであり、もはやかなわない自身のありかたを望むからだ。人間が絶望するのは、愚かにもこのひとときの猶予や答え、癒（いや）しといった考えにしがみつくからなのだ。意味を求めれば人は永遠に満たされない。不条理への「解答」は見ないでやり過ごすことではなく、受容することだ。それを認め受け入れれば、上等じゃないかと率直にほがらかに笑い飛ばせば、あらためて人生を肯定し幸せに生きることさえできる。

『シジフォスの神話』にこんなくだりがある。「打ちのめされるような真理は認識されることによって消え去る」。不条理という悲劇も、正面から見据え、笑って消え去ってもらえば打ち勝つことができるのだ。

ショーペンハウアー

苦悩か退屈か

人を突き動かすものは何だろう？　退屈、苦難、苦痛を耐え忍びながらも私たちを絶えず進ませるものは何なのだろう？　いったいどんな強固な衝動に動かされて、人は歩き続け、何らかの影響を残したい、あわよくば残せないだろうかと考えるのだろう？　どんな人でも備えている。重病を抱えていたりみずから命を絶ちたいと考えていたりしないかぎり、私たちはみな（チャーチルのいう）「死ぬ気でやり続け」ようとする根源的で心の奥底からわく強い衝動をもっている。

ドイツの哲学者アルトゥール・ショーペンハウアーはこの本能を「意志」と呼び、これこそが人間を生に駆りたてる原動力であり、同時に最大の苦悩であると位置づけた。

カント（311ページ参照）の哲学を受け継いだショーペンハウアーは19世紀、カント同様、世界はそのままの姿で受け止めるものではなく、人間が自分でつくり出した「表象」にすぎないと考えた。ただし、カントが人は世界の「本当の」実体（「物自体」）を知ることはできないと主張したのに対し、ショーペンハウアーは物事の基礎にある根源的な力、万物の内なる本質は意志であると論じた。

宇宙に存在するすべてのものに衝動的な意志がある。存在の原動力となる飽くなき欲求、あてのない奮闘だ。手に入れたい、意のままにしたい、支配したい、所有したい、理解したいという欲望だ。

宇宙に存在する万物に意志が宿っている。空腹、繁殖、警戒など、動物の意志はおそらくわかりやすいが、崖を侵食する河川、惑星に衝突する隕石、大海へ注ぐ水一滴にもすべて意志がある（ニーチェの原理である「力への意志」はこれを前提にしている。57ページ参照）。

問題は、私たちの意志は決して満たされないことだ。ウイルスがただ増殖したいという衝動によってのみ突き動かされているように。万物の本質である意志は、常にさらなる欲望を追い求めるべくできている。人間の意志は本質のところで決して飽き足らず、したがって私たちはいつも不幸な選択の間にとらわれている。

人間は果実に手をのばすタンタロスのように飽かずむなしく新しい何かを求め続けるか、さもなくば意欲を失って退屈し無関心を通すかのどちらかだ。意志は満たされることがない一方で、宇宙を動かす原動力でもある。その意味では、何かをなそうと努めないことは生に反するともいえる。人はその存在の構造において、前へ進み続けるしかなくできているのだ。その歩みを止めれば、人間は人間たることをやめることになる。

ショーペンハウアーから見れば、われわれは意欲を失い退屈するか、飽かず動き続けるかのどちらかに永遠にとらわれる。衝動を失うか、満たされないままか。いずれにしてもなんとも楽しいいばらの道だ。

サルトル

他者

親しい友人や家族に、あなたを一言で表すとどんな人かたずねてみよう。返ってきた言葉を聞いて、あなたはどう思うだろうか。そうか、そう思ってくれていたのかとうれしくなったり、よくわかってくれているなあと感じたりしただろうか。見くびられているのかなと感じた人もいるかもしれない。身近な存在の人でさえ気づいていない点は多く、全然理解してもらえていないんだな、という気持ちになったかもしれない。

サルトルが残した名言として知られる「地獄とは他人のことである」の根底にあるのが、最後に挙げたこの感覚だ。

私たち人間は一人ひとり、みなおそろしく複雑だ。誰もが人知れず妄想を抱き、人には決して明かさない秘密をもち、内面の奥深くに恐れを秘め、他者の目にふれることのない複雑さを抱えている。人間とはこうした感情であり、自身の存在について考える主体であり、塔の中の囚人のように自分の心の中にひとりとらわれた存在だ。

それでも人は他者とかかわって生きなければならない。他者は私を見て、観察し、声を聞き、判断を下す。部屋に一歩入れば、そこにいる人はみな、受ける印象、感じ取った何かをもとにあなたを判定する。彼らからすると、あなたは客体だ。瞬時にあなたをおとしめる。ラベルづけをしたら、さっと脇へ追いやる。人から見ればあなたは「おもしろい人」や「博識な人」、「気づかいのできる人」、「退屈な人」、「太った人」、あるいは「居心地の悪い人」なのだ。あなたは他者に判定される重みをひしひしと感じる。突き刺さる。

自分のことを一番わかってくれていると思う人でさえ、込み入った人格をまるごと理解してくれているとは望めない。私たちは単純化されてきれいに箱に納められる。自分がいつくしむ素のままの自分は受け止められていない。そこで私たちはこれは不当だと声を荒らげる。「自分はそれだけの人間じゃないぞ！」そう叫びたい。

さらには、自分もやがて他者の視点でみずからを見るようになる。あらゆる人によって客体化されてきて、そこに恥や屈辱を覚えているのだ。

であれば、こちらもやり返せばいい。彼らを、彼らの複雑さを軽んじればいい。他の人間を表面的で、中身の薄い、さして重要でない人物にしてしまえばいい。失望する主体たるわれわれは他者を客体化し、自分に下される判定に心を痛めないようにする。自分のエゴをなだめ、「他者」の口を閉ざさせる。「英雄」として自身を復権させるのだ。

つまり、「地獄とは他人のこと」であるのは、他者が私の人間としての本質を不当に奪うからだ。他者は私に、自分はちっぽけだ、たいしたことのない、浅薄でしめっぽくて退屈な人間だ、と思わせる。「いつもそうなわけじゃない！」と声をあげたいのだが、ぐっと抑える。そんな態度は単純に感じが悪いからだ。

ニーチェ

永劫回帰

ニーチェはよくニヒリストだと誤解されている。ニーチェといえばりっぱな口ひげをたくわえ、「神は死んだ」と怒りぎみに吠えて、人生は無意味だと説く人物として描かれる。だがおそらくお気づきのように、実際はもう少し複雑だ。永劫回帰というニーチェの思考実験からは、むしろ人生に対してきわめて肯定的で、実存主義の礎を築き、もしかしたら非常に今の時代に即したセラピストですらあるかもしれない彼の姿が浮かび上がる。

1882年に発表した『愉しい学問（悦ばしき知識）』の中で、ニーチェは悪魔がこう語りかけてくる場面を想像してほしいと書く。「おまえはいま生きている人生、これまで生きてきた人生を、もう一度ならず無限に繰り返さなければならない。そこには新しいことは何もない。ただ人生における苦痛と喜び、思考とため息、大小のありとあらゆることがすべて同じ順番で繰り返し回帰する」

これを聞いてまずどう感じるだろう？　少し考えてみてほしい。必要ならもう一度読んでみてもいい。

この思想を聞いてなんとつまらない、おぞましいと思うなら、ニーチェいわくあなたは人生を客体として生きている、といえそうだ。自身の人生を立会人として見つめ、おそらく何事も辛辣（しんらつ）にシニカルに批評し、人生のできごとがわが身に起こるままにまかせる。つらい、苦しいとこぼし続け、人生をできるだけさっさと終わらせるべきものとしてとらえている。

ニーチェはこのような人に容赦ない。こうした態度が思いあたるような者は軟弱ないけにえだ、「ああ、悲しいかな」と嘆く思考回路に閉じ込められている、というのだ。

ここでニーチェは対処法となる格言を提示する。すなわち「運命を愛せ」と。

人生に満たされた境地は誰もが望むところだが、それは配られたカードを受け入れることからしか得られない。「こうならよかったのに」と後ろを向いたり、すでに起きたことを変えられればいいのにとむなしく考えたりしてはいけない。それよりも、わが身に起きたことを愛すべきなのだ。これは楽しいこと、うれしいことと同様、つらいこと、苦しいことにもあてはまる。そうしたすべてが唯一無二の人としての経験なのだから、すべてを愛さなければならない。過ちや失敗にも、それを乗り越えてきたのだから誇りをもつべきだ。過ちや失敗とともに、それがあるゆえに、われわれは存在しているのだから。

永劫回帰はいにしえの時代から東洋の宗教の多くで核となる思想であり、ギリシャ哲学のストア哲学でもよく用いられてきた世界観だが、近代西洋の人々に広めたのはニーチェだ。

今の時代なら、「手放す」「前へ進む」「ケセラセラ」などと言い換えられるかもしれないが、それだけでもない。ネガティブな何かが消えるように願ったり、しかたがないと受け流したりするのでもない。あなたの人生を明確に前向きに肯定する概念なのだ。運命を愛すべし。

キルケゴール

実存の三段階

自分の感情が日によって違う、と感じたことはあるだろうか？　ある日目覚めてみると、ものの見かたや人生観ががらっと変わっているような。あるいはあるときは至福にひたり充実していたのに、次の瞬間はなぜか満たされず、もっと大きな何か、違う何かを欲しているような気持ち。

19世紀のデンマークの哲学者、セーレン・キルケゴールはこの感覚をわかっていたようだ。

実存主義の先駆者として広く知られるキルケゴールは、当時の哲学は細部にこだわるあまり全体を見ていない、と考えた。ぼんやりとした抽象論にかまけすぎた結果、一部の人だけが到達する難解な頂点として行き着いたのが、ヘーゲルのいう「世界精神」だった（134ページ参照）。これは古代ギリシャで実践されていたような、われわれを導き、個々の人間に意味を与えてくれるような哲学からはおよそかけ離れているではないか。

そこでキルケゴールはかつての哲学への回帰、すなわち内省と深い思索を要し、

「私」と個別の生の経験を起点とする哲学へと立ち返ることを求めた。その個別の経験としてキルケゴールは自身の人間性に目を向け、人間の実存は日々の生活のなかで三つの段階を移行していくと論じている。美的実存、倫理的実存、宗教的実存だ。

美的実存は一番下位にある未熟な段階で、強い感情の充足を追求する。饗宴、浅薄で軽薄な行動、欲望に身をゆだねる生活だ。キルケゴールの著作に書き手として登場するヨアンネスは、美を追い求める者を誘惑者と洗練された快楽主義者として描いている。ここで注意したいのは、キルケゴールにとっては、偉大なバッハの音楽も高級キャビアも、ポップスや深酒と同様に卑しいものとみなしている点だ。どれも欲求の充足にかかわる点では同じであり、欲求の性質は関係ないという立場をとる。

しかし快楽を追求する者は（64ページのショーペンハウアーに先んじて）こうした生活にも飽きてしまう。やがて明け方、二日酔いで疲弊しきった、ぼんやりした頭でこう思う。これではない、もっと——そう、倫理的な実存を目指そう。倫理的実存は、快楽を追求していた人が他者と共同体を作ろうとするありかたを指す。ここで社会や言語、道徳観や文化が形づくられる。より大きなもの、より深い何かの一部でいることは楽しく、喜ばしい。例えば自分の好きなチームが出るスポーツの試合を見る、趣味を人と共有する、寛容さや優しさといった徳に従って生きる、といったときにわいてくる感情が近いだろうか。

最後の宗教的な実存は、人間の生の段階でもっとも高尚で意義深いありかただ。この段階では、説明がつかず理屈とは関係なく、高潔な行動へと引きつけられる。残念ながら言葉では表しづらいのだが（言葉自体はその前の倫理的実存に属するため）、高尚な力につかまれた状態といえるかもしれない。ほかの誰でもない、自分にとって正しいと感じる行動をとらずにいられない気持ちになる。ただそうしなければならないからするだけで、誰にも、身近な大切な人にも、理解してもらおうとは思わない。

　こうしてまったくの一人の個人として、強い信念に突き動かされた行動をとることを、キルケゴールはもっとも深遠で偉大な人間の生きかたととらえた。それは自分自身のみが知っていて、抽象論では決して理解も検証もできないのだ。

ヘーゲル

主人と奴隷

誰にでも宿敵がいる。宿敵という呼び名で認識していなくとも、何か一つ、あるいは誰か一人、強い嫌悪の情をもっていて、ある意味それに対抗することが自分のアイデンティティの定義の一面になっているような対象を誰しももっているものだ。では、その対象と一緒に生きていかねばならない状態に置かれたら、どうなるだろう？　衝突が起きるのは避けられない。英雄と天敵、テーゼとアンチテーゼ、主人と奴隷の間の戦いだ。負けを喫するのはどちらだろう？

ドイツの哲学者ゲオルク・W・F・ヘーゲルはこの戦いが人間を含むあらゆるものをつかさどると考えた。以来、ヘーゲルの「主人と奴隷」の関係論は歴史学や社会学、哲学の分野に影響を与え続けている。

ヘーゲルが難解なのはよく知られており、自身も自覚していた。1831年にこの世を去ったとき、最期に「私を理解した者は一人しかいなかった。だがその者さえ私を理解してはいなかった」と述べたといわれるほどだ。それでも、ヘーゲルの思想には今の私たちにとってもきらめく言葉が残されている。

ヘーゲルの考察で非常に重要なのが、人がいかにしてアイデンティティと自己意識を形成するかだ。私たちはほかの人やものとのかかわりの中でしか自分をとらえられないとヘーゲルは考えた。一人の人であるためには、人として認識される必要がある。親に名前を呼ばれ、友人に存在を認識され、スポーツのチームでポジションを与えられて初めて、自分が何者なのかがわかってくる。人は誰も抽象概念の中で生きているわけではない。人とのかかわりあいがなければ、私たちの存在は意味をなさない。

ただし、他者との関係性が対等でない場合はどうなるか。一人がもう一人に対して支配的だったら？　ヘーゲルは人間関係ではたいてい対抗する者同士がぶつかりあい、どちらも自分が勝とうとして戦いが起きると論じた。やがて、戦いは疲弊するし消耗すると両者とも気づく。そこで必然的にどちらかが身を引き、「主人と奴隷」の力関係が成立する。強い者と弱い者、領主と農奴の関係である。

しかしこの関係では誰も幸せにならない。奴隷は道具として扱われ、その労働は不当に搾取される。一人の人間であることから疎外される。一方、主人の側も弱い。彼らも承認を必要とし、求める。ところが、奴隷を物扱いしおとしめたがために、自身が主人として認められるべき唯一の手段を否定していることになる。つまり、主人であるためには奴隷に主人であることを認められる必要があるのに、奴隷による承認の正当性は受け入れられないのだ。もちろん、両者のうち奴隷の方がずっと不利な条件におかれているのだが。

奴隷はやがて生死をかけた闘争に挑み、みずからを解放する。そうして到達した新たな力関係はいずれの立場の人にとっても以前より望ましく、互いに頼りあった関係であることが見えてくる。争っていた二人の個人が歩み寄り、安定して幸福な、成熟したギブアンドテイクの関係が生まれたのだ。

ヘーゲルの文章は得てして抽象的かつ理論的で、奴隷と主人の考察も例外ではない。これが実生活にどうあてはめられるのか、と考える人も多いだろう。ヘーゲル自身も答えを示していない。これが現代版の「権力関係」の解釈に浸透するようになったのは、サルトルやボーヴォワール、フーコーが現れてからだ。容易に解けないという難点はあるものの、ヘーゲルの洞察はとても深い。支配や搾取は誰の利益にもならない。人間は互いに尊重しあってのみ発展するのだ。

カミュ

反抗

どの段階までくると、言い返そう、抗議しようと思うだろうか。侮辱、不正、中傷、冷酷な扱いなど、どこまでは受け入れてどこから「やめてほしい」と声をあげるだろう？　これ以上は耐えられない、の線引きはどこにあるのだろう？

この誰も越えられない一線、抵抗にいたる最後の段階が何なのかが、その人について多くを語るとアルベール・カミュは考えた。

カミュの作品の多くは、人生を無意味で無益とみなすニヒリズムの克服を意図して書かれたものだ。小説もエッセイも、宗教不在の（ニーチェ後の）虚無において人はいかにあるべきか、どんな価値観をよりどころにすべきかといった問題を叙情的に表現している。

カミュがもっとも重要な影響をもたらした作品の一つが『反抗的人間』（1951年）だ。カミュは本作で、人生にはここは妥協しない、自分のよりどころとなる価値観を守る、という核心となる瞬間があると論じる。つまり「人間の中で必ず守られねばならない部分」に線を引くことであり、価値観による人生の肯定だ。「ここまではいいがそれ以上は譲れない」という宣言でもある。

反抗とはその人の存在にとって侵すべからざる一点をかけて行使するものであり、何人(なんびと)たりとも拒むことはできない。働きづめの労働者がもう帰りますと上司に告げる。生徒が不当な罰を受け入れないと意思表示する。家庭内暴力を受けた人がパートナーのもとを離れる。奴隷が逃亡を決意する。

言い換えれば、人はみな、ここでなら命を落としてもいいと思える山があり、その限界がその人の人生を決めているのだ。

実はこの反抗というテーマこそがカミュの不条理観と結びついている。人がもっとも自由になれ喜びを覚えるのは、虐げられ絶望の底に沈むときだとカミュは考えた。失うものが何一つないとき、人はそれまで決して気がつかなかった深淵を見いだす。自由はどこまでそれを否定されたかで定義される。

カミュは絶対真理が人間をあれこれ動かしているとする考えを他では強く否定していたため、『反抗的人間』での不可避の義務や責務をめぐる考察がカント的であることには違和感があるかもしれない。だが反抗は自分の利益だけに執着する利己主義者とは違う(反抗という行動自体は常に個人的な行動ではあるが)。反抗とはむしろ、共同体としての人間の尊重と結束を肯定する行動だ。カミュは「人間を形而上学的なものとして」とらえるとさえいう。われわれは誰もがこの世界を超越した不変の何かを自分の中にもっているという意味だ。傾向としては「本質主義者」の発想に近い。本質主義は、人間に変えられないものはないと考えたこの時代の実存主義者と異なり、人間はあらかじめ定められた本質があるととらえた。

今度ノーと声をあげるときは、あなたの反抗が何を意味するのか心にとめておこう。反抗とは否定的ではまったくなく、深い部分で人生を肯定する行為だ。自分が何者なのかを定め、それは奪われはしないのだと世界に、そして自分に、示す行為なのだ。

ボーヴォワール

フェミニズムについて

「ふさわしくない行為」だからと、みずから手を引いたり何かをあきらめたりした経験はないだろうか？　他人からの期待や重圧、ラベルづけで身動きがとりにくいと感じたことは？　人とのかかわりの中でどんな役割を担っているだろう？その役割はあなたを解放してくれるだろうか、それとも埋没させて閉じ込めていないだろうか？

シモーヌ・ド・ボーヴォワールが1949年に発表した代表作『第二の性』は実存主義による現代フェミニズムを切り開いた評論の一つとされている。ボーヴォワールは本書で、人は決められた型（本質）によって形成されるのではなく、みずからそのようになるのだと説いた。人は自己のアイデンティティ（自分が自分をどう見るか）と社会に向けたアイデンティティ（自分をどう見られたいか）の両方を形成するのだ。

ボーヴォワールはこの考察を女性のありかたにもあてはめた。それが有名な一節「人は女に生まれるのではない、女になるのだ」だ。

社会は「女」に対してしかるべきふるまいや装いを要求し、女性はそれに合わせて役割を果たそうとする。いずれも意識してそうすることもあれば、無意識のうちにする場合もある。このつくられたアイデンティティはそれ自体が必ずしも差別的あるいは否定的なものではないが、社会は得てして女性を「第二の性」の地位におとしめている、すなわち男性より下位で重要度の低い存在に位置づけている、とボーヴォワールは指摘する。標準としてまず男ありきで、女はその変化形なのだ。

この「女」の役割を引き受けることは「悪しき信仰」、つまり自己欺瞞（50ページのサルトル参照）であるとボーヴォワールはみなした。自分の真の能力と、自分の立場を自分で決める力をみずから隠すことだ。この悪しき信仰は例えば職場での差別のような社会問題につながるだけでなく、私たちが使う言語やよりどころとする規範にも影響する。次のような問いを考えてみよう。デートで男性に支払いをさせると、客体としての「女」の役割を定着させることになるのだろうか。「きちんとした」女性はバーでふさわしいお酒なるものをたしなむべきなのだろうか。抗うつ薬を処方される女性は男性の2倍以上になることから、女性は男性の2倍うつを抱えている、と解釈してよいのだろうか。今でも無償労働の4分の3を女性が担っている現実は、この数字に加担してしまっているのだろうか。地下鉄で性的な迷惑行為を受けた女性の9割が届け出ないのはなぜなのか、どんな社会規範があるからなのだろうか（例の多くはキャロライン・クリアド＝ペレス『存在しない女たち』〈河出書房新社〉から引かせてもらった。著者の鋭さはさながら現代のボーヴォワールだ）。

社会がどれほどまでに「女性像」のステレオタイプをつくりあげているのかを知って初めて、自分たち自身がいかにそれを享受、あるいは投影しているのかがわかる。みんながそれぞれの役割をみごとに演じているのだ。

ボーヴォワールは問いかける。われわれは他者に、あるいは自分に、真の意味で思うとおりの自分でいることを認めるだろうか？

ファノン

黒人と実存主義

人はみな何者かになりたいと望む。できるだけ理想の父親になりたい。所属するクリケットチームで一番のプレイヤーになりたい。誰にも負けない知識を誇るハリー・ポッターファンでいたい。ところが人間の困ったところは、こうした自分のアイデンティティが箱になったときに起きる。なんとか手に入れた称号や役割、強みが自分を規定するようになったときだ。「ジョアンはクリケットをやっています」「マイクはかわいい息子さんが二人いるお父さんです」のように紹介するとしよう。するとすぐさま、そのほんのわずかな説明だけで、ある種の想定が檻となってその人を囲い込む。しかるべき言動が期待されるのだ。マイクは子育ての愚痴をこぼしてはいけないし、ジョアンは昨晩の試合を見ていないとはいえなくなる。

フランス領マルティニーク島生まれのフランツ・ファノンはこれを人間の性（さが）の一つととらえ、自身が唱えた独自の実存主義でこれを黒人であることに応用した。

ファノンは1952年に発表した『黒い皮膚・白い仮面』（みすず書房）の中で、

人に対するラベルづけや外から押しつけられたアイデンティティは何であれ、その人の真の自己を押しつぶすと説いた（66ページのサルトルも同様）。ファノンは「黒人性」もその一例とみる。ただし、黒人であることはその重大さにおいて他のあらゆるラベルと異なる。「黒人である」というラベルは、すべての人間がなんらかの形で闘わねばならないと強要されるアイデンティティのなかでも究極に強力だという。ファノンはこう述べる。「劣等性の奴隷になった黒人も、優位性の奴隷になった白人も、同じく神経症的な指向に従って行動する」。ラベルづけによって誰もがおとしめられるのだ。

人がみずからを創造するためにはなんらかの前提が必要だが、黒人はこの前提を否定されているとファノンはとらえた。ファノンはヘーゲルの「主人と奴隷」論（73ページ参照）を援用し、自分の自己意識を育むには別の自己意識を見いだし、向き合わなければならないと考えた。だが植民地化を図る人間や人種差別的な人間の目から見ると、黒人はこの認識を否定される。

白人による審判は黒人を「ほかのものの中に置かれた一つのもの」に変える。黒人の自身の身体に対する意識は、白人のそれとは違う。限定され、型にはめて片づけられ、「ニグロ」のような呼称でラベルづけされる。

これに対してよくみられる反応は二つあり、どちらも誤りであるとファノンは論じる。

一つには、みずからの黒人性を利用し、称えるケース。しかしこれは白人が黒人にそうするのと同じく、自分たちを対象化するにすぎない。ファノンいわく、「私は決して、不当にも認められてこなかったニグロ文明の復興に注力すべきではないのだ。私はいかなる過去にも加担しない」

もう一つが、「黒人が白人になろうとする」だ。「白人にあつらえてもらった衣装をまとい」、白人のようにふるまい、白人になろうとする。もちろん愚かな行いであり、本来の生を生きているとはいえない。

ファノンが示唆するところは断言できないが、人種を超えた人間の普遍的な不安を説いているようにもみえる。それでも、白人と黒人が同等である前提には立っていない。自己実現に関しては階層があるのだ。白人もどうすれば本当の自分になれるかと悩むかもしれない。一方黒人はそんなことで思い悩める身分になりたいと願う。人種による差別が存在する社会では、黒人であることは実存にかかわる不安を抱く能力さえ否定されるのだ。

美と芸術

深く掘り下げてはまた見つめ直すのが哲学だとすれば、哲学者が芸術を愛するのも不思議ではない。何をもって芸術とするか自体が哲学的な深い問いなのだが、ここではその内容で定義してみる。音楽、絵画、映画、演劇、歌、美などだ。多くの人にとって芸術は人間であることに欠かせない要素の一つであり、哲学はその要求に光を投げかけてくれる。

人が人としての固有の体験をさまざまな形で表現したものが芸術だ。そこには他者も加わることができる。

「わび」と「さび」

完全でないからこその美

完璧ではない、ほころびのあるものが実に美しいことがある。苔(こけ)むした石像が立つ庭、枯れた低い木立、廃墟となった古城など、私たちの深い内面に痛切に響いてくる。古いもの、朽ちたもの、割れたもの、釣り合っていないもの、ごつごつしたもの、ねじれたものなど、愁いを帯びた美しさの概念を感じさせる。説明したり理解したりしづらい感覚だといっていい。

それが日本のわび・さびの概念だ。

完全ではないもの、はかないものに目をとめ、そこに価値を見いだすのがわび・さびの心だが、そうしたものに心を寄せて共感し、自分自身もはかなさの一部であるととらえることも含まれる。

西洋の伝統的な美意識は古代ギリシャまでさかのぼり、美と完璧を理想とする。仏教、そしてとりわけ日本の文化は、何事にもはかなさ、永続しないこと、完全でないことに重きをおく。片や大理石で彫った美少年アドニスの像、片や欠けた茶碗、という違いだ。完璧な理想像に対してありのままの姿、ともいえる。

日本の外では、わび・さびをデザインと結びつける場合がままある。くずれかけた廃墟や、使い込まれた木のテーブル、歴史的な建造物の左右非対称の柱などに見いだされる。英語圏ではよく「あの木製のベンチにはわび・さびがある」などといったりする。それも概念の一部をとらえてはいるのだが、それだけでは大事な面が抜けている。

わび・さびの概念は、見る側の人間と見る対象としての物体との関係性を表すと考えるとより近い。厳密には物自体がわび・さびなのではなく、物体が私たちからその美意識を引き出すといえばいいだろうか。例えば苔におおわれひび割れた墓石を見て、胸を突かれるような美を感じるのは、自分の死すべき運命や不完全さ、万物の無常を思わせるからだ。人によっては長年の戦いの歩みを感じさせる老齢のライオンにその美を見いだすかもしれないし、夭逝した歌手のジェフ・バックリィや、ある小説の最後の一文に見いだす人もいるかもしれない。

日本人は季節の移り変わりを細やかに意識する（七十二候といって、一年の季節を72にまで分けている）。わび・さびもそこに通じる。避けがたい必然である秋も、長く寒い冬も受け止める。生命が息づく春や夏の盛りを味わいながら、それもまたほかの万物と同様、移ろいゆくものなのだと受け入れる。森羅万象はいずれ色あせ、傷を受け、枯れ、衰えゆくのであり、わび・さびはそれをあらゆるものに見いだす精神なのだ。

今度どこかで、欠けたりねじ曲がったりした何かを目にしたら、そこにある心に訴えかけてくる美しさを感じ取ってみよう。永遠に続くものも、完成されたものも、完璧なものも存在しない。世界のそこかしこに、そのことが表れている。

アリストテレス

カタルシス

人はなぜ怖い映画を観たがるのだろう？「時代を超えた名作」とされる映画が必ずといっていいほど、胸を締めつけられるような泣かせるストーリーなのはなぜだろう？　そもそも人間は生物学上、恐れや悲しみを嫌うようにできている。恐れや悲しみを抱くからこそ、人はオオカミから距離をおき、孤独におちいらないよう行動する。であればなぜ、わざわざ時間を見つけてそれを楽しみに観たりするのだろう？

アリストテレスは『詩学』（紀元前335年）でその答えを見いだし、カタルシス（浄化）と呼んだ。

古代ギリシャでは何事にも中庸と節制に価値をおいた。理性や道理をわきまえた市民であるためにはとりわけそうだ。医師だったヒポクラテスは、すべての病は人体の体液の調和がとれていないことから起こると説いた（この「体液」はhumour、すなわちユーモアと同じ語）。アリストテレスはこれを精神にもあてはまると考えた。人間の精神は思考と感情の調和がとれていることが必要になる。

そこで登場するカタルシスは、強い感情や不快な感情を体験することで心から一掃する作用を指す。アリストテレスによると、悲劇はあわれみと恐れを呼び起こし、観る人が閉じ込めていた感情を解放してくれるため、カタルシスに最適なのだという。

思いきり泣くと気分がすっきりするのも、ストレスがたまると長距離を走ったりとことん飲みたくなったりするのも、カタルシスが得られるからだ。カタルシスとは発散させることであり、圧迫された心を安全かつ社会に容認される形で解放することである。古代ギリシャではこの浄化作用の医学的な効能を重視し、観劇に対価を払う必要はなく、むしろお金をもらえる場合も多かったという。公益性が高いとみなされていたのだ。

理屈としては、現実の人生で悲劇を体験するよりも、悲劇を観て、安全な場所でそれが喚起する感情に身をゆだねる方がいいからだ。舞台の上で殺人事件を「追体験する」方が、実際に罪を犯してしまうよりいい。プロメテウスが受けた苦痛を思って恐れる方が、現実の友をののしり痛めつけるよりいい。オイディプスが実母を妻とした話も、演劇で観るにとどめる方が断然いい。

カタルシスについては近年、議論がなされている。一つは、アリストテレスはカタルシスの対象を恐れや怒り、憎しみといったネガティブで破壊的な感情の発散に限定し、健全な感情の調和を取り戻すための作用と位置づけた、とする説。

もう一つが、あらゆる感情の発散を意味するととらえる説だ。古代ギリシャの哲学者たちが情緒より合理性、感情より理性に重きをおくよう強く説いたことを考えると、こちらの説の方が有力なのかもしれない（ただしアリストテレス自身は、師であったプラトンよりも感情に対する嫌悪感はずっと少なかった）。

今日の私たちにとって、カタルシスには深い真理があるといっていい。人は心を揺さぶるドラマや悲劇、ホラーや怪談を愛してやまない。気持ちを浄化してくれるのだ。やり場のない感情が鬱積したり、不安で落ち着かない気持ちに襲われたりしたら、カタルシスを体験して解放させるのは一つの手かもしれない。

カント

美と崇高

雷鳴とどろく嵐には圧倒される美しさがある。山のふもとに立つと畏敬の念を抱き、自分はちっぽけな存在だと感じる。うねる海の広大さには強く引き寄せられる力がある。

イマヌエル・カントはこうした感情を「崇高」と呼び、偉大なものとみなした。すべてのものは美学の点で「美」と「崇高」の二つに分けられるとカントは考えた。人間はどちらにも反応するが、人によってその程度や背景は異なる。

おおまかにいうと、「美」は心地よく、見てきれいで楽しい。「崇高」はより深く、意義があり、圧倒する力をもつ。かぐわしいバラの花、駆けまわる子羊、露のきらめく草原は美。荒い息づかいのバイソン、激しい潮の流れ、深くえぐられたフィヨルドの断崖は崇高だ。

カントはここにとどまらず、人間とその関係もいずれかに分けられると論じた。

美にあてはまる人はおそらくこうだろう。頭の回転がよく、人を引きつけ、にぎやかな夜の飲み会で場の中心にいるタイプ。ふざけたり笑ったりして楽しいけれど、浅薄で軽いのではないかとひそかに感じてしまう人物。

一方、崇高な人といえば、落ち着きがあって誠実で、助言や意見を求めたくなる相手。信頼できて支えになってもらえるのだが、反面、ときに気むずかしい、堅苦しい、あるいはおもしろみに欠けると感じてしまう場合もある。カントは崇高な人の方が人格としてずっと優れているとみなした（カント自身がそのタイプだとされていたせいもあるかもしれない）。

勢いづいたカントはやや暴走を始め、この理論を人の性別（女性を美、男性を崇高と位置づけた）や国にもあてはめ、明らかに人種差別的な説を唱えるに至ってしまった。

いわく、ダンディーと洒落者の国、「恋の戯れ」を愛するフランスは美。英国の評価は高く、節度があり崇高。冒険を恐れず泣く子も黙る勢いで新世界を征服したスペイン人も崇高。日本人を「東洋の英国人」（わかりづらい称賛といわざるを得ない）とする一方、きわめてあからさまに人種差別的に「アフリカの黒人は生まれつき、ばかばかしい以上の感情は持ち合わせていない」と述べている。各国の評価は実にばらばらで全体を読むと興味深い。ドイツ人についてはもちろん、美と崇高の双方をみごとに体現している、と評している。

カントが提示した例の多くは現代のわれわれから見ると妙だったり、侮蔑的でさえあるのだが、基本的な線引きには感覚的にわかるところもある。バラの咲く庭を歩くときであれ、扉をたたく雨音に耳を傾けるときであれ、私たちもそれぞれの形でその意図を理解できるのではないだろうか。

ショーペンハウアー

音楽

音楽には不思議な力がある。人を自己と生活から解放し、より高いどこかへ連れていってくれるような力。そこには音楽そのものと今この瞬間しか存在しない、自我にとらわれない世界だ。音楽を表現するときに使う言語は、ときに信仰を語る言葉に近いことにお気づきだろうか。言葉では表しにくいのだが、何か大きな存在を感じ、自己を喪失する感覚、純粋に自然や進化といった観点の言葉では説明しがたい。

ショーペンハウアーはこうしたことをよく承知していて、音楽体験がもつ超越的で神秘的な側面について多く書き記している。

芸術の多くは、どこかで何かを表象しているものだ。絵画や写真、彫刻はなんらかの人物やものを表現している。小説や映画はなんらかの形で人間の関係性を描く。詩でさえも、比喩や象徴を用いて何かを掘り下げていく。だが音楽は何を表象しているのだろう？　作曲家や音楽家が楽曲をつくりはじめるとき、何が起きるのだろう？　何を目指しているのだろう？　ショーペンハウアーはこう述べる。「音楽はまったく一線を画している。音楽には模写はみられない」。音楽はそれそのもので存在する。音楽そのもののためにあるのだ。

音楽は世界のいかなる事物をも表象していない、音楽が表すのは人間の存在の本質である、とショーペンハウアーは論じる。努力し生きようとする力強い生命の力、すなわち彼の呼ぶところの「意志」（64ページ参照）だ。音楽が私たちの魂に響くのは、人間の本質を完璧に、美しく、芸術的に表現しているからだ。しかも人間の本質にとどまらず、意志を宿す万物の本質を表す。主和音へと解決する音楽（例えば「完全なカデンツ」といえば、旋律は最初の主和音に戻らねばならない）に人が満たされるのは、意志の努力を映し出しているからだとショーペンハウアーは考えた。音楽の解決は気持ちが落ち着くのだ。

ここから、ショーペンハウアーの説は少々熱を帯びて展開したようだ。世界の構成を四部合唱の各パートになぞらえている。いわく、バスは無機物の世界であり、重力など科学的な力とも結びつく。テノールは植物の世界で、アルトは動物界、主旋律を受け持つソプラノは「束縛されない自由」であり、人間の「知性に照らされた意志」だという。ショーペンハウアーにとって、音楽はまさしくすべてなのだ。

この理論に基づくと、私たちはみな自我と個性を音楽にゆだねて手放し、「意志をもたない純粋な主体」となって「乱されることのない喜びに満ちた安寧」を享受すればいい。音楽は私たちを意志から解き放ち、自己を解消してくれる。満たされた超越の世界へと連れていってくれるのだ。

ゲーテ

色の理論

芸術をたしなんでいる人でもないかぎり、自分と色彩の関係などあまり意識したことはないのではないだろうか。そんな人には、ためしに次の問いの答えを考えてみてほしい。

自分を色で表すとしたら、ピンクとグレーではどちらだろうか？

紫と茶色ではどちらがよい香りがするだろう？

赤と黄色が戦ったらどちらが勝つだろう？

パーティーのお客にふさわしいのは青と緑、どちらだろうか？

色は単なる目に見える濃淡や明暗の違いではない。色はさまざまな連想やメタファー、気分と密接に結びつけられている。私たちが体験するあらゆる事象に対する感じかた、考えかたに影響する。ヨハン・ウォルフガング・フォン・ゲーテはこのことに文化人として世界でいち早く注目し検証した。

ゲーテは自身の著作の中で『色彩論』（1810年）を一番の傑作とみなした。同書ではニュートンが研究した光の理論を批判した（結局はニュートンが正しかったのだが）ほか、人間にとって色彩がもつ意味をさまざまな角度から考察している。

ゲーテはドイツ語圏が生んだもっとも偉大な詩人、作家と評価されているが、『色彩論』では色がいかにして人に多彩な感情や連想を呼び起こすかについて、華麗な文章と詩的な記述でつづっている。

例えば赤は「厳粛で格調高い趣き」をもち、黄色は「晴れやかで明るく、穏やかに心躍らせる性質」、青は「冷たいという印象を与え、陰影を思わせる」。青い部屋は広く見えるものだが、同時に「がらんとして冷たく感じる」など。さながら19世紀のフランクフルトに興った風水のようなものだ。

英語には基本的な色を表す語（緑、グレー、赤など）が11しかない。他はすべてなんらかの物体の名だ。バーガンディはワイン、セピアはイカ墨。琥珀（こはく）、ターコイズ、ルビー、翡翠（ひすい）はいずれも宝石の名だ。ピンクは特定の種の花を指すし、オレンジ色でさえ果物のオレンジにちなんでつけられた。こうしてみると、英語で色を表す語の多くはメタファーであり、色が連想される気分や歴史上の使われかたと結びつけられるのも納得できる。

文化によって色の分類は異なるし、同じ文化でも二人の人間が微妙な色味をめぐって違う解釈をすることもある。例えば緋色と深紅の違いは何だろう？　空色と青緑色は？　6歳未満の子どもは実は色の認識がかなり苦手だという。

というわけで、哲学者というものは色彩についてさえ一家言もっている。人間の心は世界の色あいを気分や感情と結びつけてきた。あらゆる瞬間を、色をめぐる各々のバイアスを通して体験しているのだ。

ハラリ

集合的神話

考えてみれば、お金とは奇妙なものだ。しわくちゃの紙切れを生産者や薬局や仕立て屋に渡すと、引き換えにとても役に立つ、実体あるものが手に入る。一片の紙切れや金属に物質そのもの以上の価値があることを、世界全体が前提として共有している。いわば「集合的神話」である。

イスラエル人歴史学者ユヴァル・ノア・ハラリは『サピエンス全史』（河出書房新社）の中で、こうした集合的神話が人類を今日の姿にまで発展させた能力の一つであると説く。

私たちはポスト実存主義の世界に生きている。ニーチェは「神は死んだ」と宣言し、サルトルは「実存は本質に先立つ」とカクテル片手に語った。森羅万象は絶対的な真理の上に成り立っている、とする世界観はもはや受け入れられていない。道徳も、宗教も信条も、なんらかの形の信仰をよりどころにしないものはない。それでも人はこれらをよすがに生きている。ニヒリストも急進的な懐疑論者も、哲学の世界の外にはめったにいない。なぜか。
「神話」をつくり、それに従うのは人間の根幹だからだとハラリは説く。
　こうした神話はどこにでもあって、そうと気づくのは難しい。「国家」という概念もそうだ。国と国を隔てる国境は地図上に引かれた線にすぎないし、私たちが思っている以上に歴史は浅い。国家やナショナリズムを都合のよい神話ととらえる人々によって、書き換えられたり消されたりする。空を飛ぶ鳥はフランスから越境してドイツへ入ったからといって気にはしない。だがセルビア人がこのつくられた線にすぎない国境を越えて同胞を救おうとすれば、命の危機にさらされることもある。
　お金もそうだ。貨幣は現在進行形の集合的神話の最たる例だろう。誰もがすっかり受け入れてしまっているため、あらためて考えてみることなどほとんどない。この手元の紙切れは価値のあるものと交換してもらえる、という前提でいる。
　もちろん、そうすんなりとはいかないものもある。人権、宗教、政治的なイデオロギーもそうだし、平等や民主主義、公平性のような概念もみな「神話」だ。維持したければ、みんなでコミットすることを繰り返し確認しあわねばならない。
　ハラリのいうとおりであれば、こうした神話を信じる能力があるからこそ、人間は個人としても集団としても栄えてきたことになる。人は現実を描き出すだけでなく、創り出せる。だからこそ、ともに手を携え、力を合わせ、進化できるのだ。

ユング

元型というキャラクター

「主人公（英雄）」が「恋人」の隣で目を覚ます。その目は寝不足でとろんとしている。携帯電話に目をやると、「保護者」である父親から様子をたずねる電話が入っている。無視。職場では「魔術師」の上司と打ち合わせをし、昼はどうみても二日酔いの「道化師」と、休暇でハイキングに出かける話をする「探求者」の二人とランチ。これがお決まりだ。夜、帰宅すると主人公は「影」に姿を変える——。

これがユングの提唱した元型（アーキタイプ）の世界だ。

スイスの分析心理学者カール・グスタフ・ユングは長年、フロイトの同志であり後継者として歩んだ（のちに二人は決別）。しかしフロイトが主に個人的無意識を重視したのに対し、ユングは無意識のなかでも「集合的無意識」と名づけた概念に注目した。

ユングは、あらゆる社会集団に共通して行動をつかさどる普遍的な構造があると考えた。それを元型と呼ぶ。簡単にいえば、共同体が成員の行動のよりどころとすることを認めた、実際に即して広く定着した型といえばいいだろうか。ゲームのキャラクター選択画面と少し似ている。

今日はどんなキャラクターになりたいか。純粋無垢な乙女？　自然界に生きる動物？　学問好きで思索にふける魔術師？　世界を笑ってみせる道化師？

ユングいわく12ある元型はきわめて根強く、人間は昔から脈々とそれらを体現し、物語や神話、歌、慣習（180ページ参照）などに埋め込んできた。例えば『指輪物語』のフロド、ハリー・ポッター、「アナと雪の女王」のエルサ、「スター・ウォーズ」のルーク・スカイウォーカーは「英雄」だ。対してガンダルフ、ダンブルドア、トロールの長老パビー、ヨーダはそれぞれの物語における「賢者」にあたる。ピピン、ハグリッド、オラフ、C-3POは「幼子（おさなご）」だ。

さらに、人間はこの元型を神にまで祭り上げ、賛美の対象にしたりもする。北欧神話のロキ、ギリシャ神話のヘルメスは秩序を壊すいたずら者「トリックスター」、ギリシャ神話のアフロディーテやローマ神話のヴィーナスは「恋人」だ。一神教であるキリスト教にも、「乙女」である聖母マリア、「賢人」である父なる神、「影」のサタン（悪魔）がいる。

ただし、ここに挙げた元型は現在、マーケティングやポップカルチャーの分野でよく用いられるパターンであって、ユングの書物にこのとおりに分類されているわけではない点にふれておかねばならない。ユングは広範な元型に名称をつけたものの、のちに使われるようになった役割名ほど明確に定義づけしてはいない。ユングが挙げた例はもっとゆるやかだが、同時に、現代版の元型が矮小化や曲解とされるほどかけ離れているわけではない。

現代の私たちにとっても、ユングの考えはおおいに共鳴できる。規定された、求められる言動というものがあるような感覚、演じていいとされている役どころはかなり限定されているという感覚は（たとえユングの12の分類には異論があっても）、誰しも抱いているのではないだろうか。哲学的にはユングは実存主義の主張と親和性が高い。実存主義者と同様にユングも、人間が幸福であるためには元型を超えてその先の「個性化」へ向かい、自分らしい自己を確立する必要があると説いた。人はキャラクター選択場面で自分だけのキャラクターをみずからつくり出すことによって、自由になれるのだ。

ジョーカー

ニヒリズム

人をみごとなまでに不条理な存在にしているのは、私たちが無意味なことに捧げる時間やお金、労力ではないだろうか。私たちはそれはそれは真剣に取り組む。好きなアイドルをひと目見るために、雨の中を何時間も並んで待つ。ワイマール共和国が発行した1931年の切手にひと月分の給料をつぎ込む。ゲームの「神モード」で敵を攻略するために、ふた晩も寝ずに費やす。何がそうさせるのか。何のためにそこまでするのか。なぜそこまで熱くなる？

トッド・フィリップス監督の2019年の映画「ジョーカー」（と、原作であるDC コミックス）の背景には、人間の生きる理由そのものを脅かす不条理が横たわる。ジョーカーが仕掛ける罠のなかでも、その嘲笑と挑発的なニヒリズムはもっとも恐ろしいといっていいだろう。

ジョーカーの住む世界は価値など存在せず、混沌と不毛が支配する。人も社会も狂気と混乱から紙一重だとジョーカーはとらえる。りっぱな倫理も規範も「問題が起きそうになればすぐに捨てられる」とジョーカーは語る。自分は「支配しようとすることがいかに哀れか」を知っているという。

世界に秩序はない、人間が自分をつなぎとめられるものなどない、とジョーカーはみなす。彼は「混沌の使者」であり、輝かしい「文明」はみな完全な無秩序と隣り合わせだととらえている。人はみな、心に傷を残すような経験を一つでもすれば狂気へ転落する。いわく「狂気は重力と同じだ。ちょっと押せば落ちていく」。

この根底にあるニヒリズムは、ニーチェによるところが大きい。神も宗教もない世界では、人は意味のない主観的な空虚を漂うだけだとニーチェは論じた。「真実」はつまるところ力にほかならない。ジョーカーと同様、ニーチェも、われわれは混乱におちいり、進む先を見失い、この無の中へ「絶えず落ちてゆく」と考えた。ニーチェが見いだした答えは「自分が決めた人生を肯定しなければならない」であり、ジョーカーにいわせれば「この世界で賢明に生きていくには、ルールを無視するしかない」だ。

ジョーカーの哲学の核にある退廃は、打ち勝つのがいかに難しいかにある。カミュは『シジフォスの神話』（62ページ参照）で、人間は不可解で不条理な戯れの無関心をもって人生に対峙すると書いた。ジョーカーの行動はまさにこれだ。無意味な世界の無を抱きしめて、こうつぶやく。「笑え。その方が、何が心の中でおまえを殺しているのか説明するより楽だから」

ニーチェ

アポロンとディオニュソス

座って映画を観はじめて、あるいは本を読みはじめて、気がつくとあっという間に２時間がたっていた、という経験はないだろうか。あまりにも没頭していて、世界がすっかり頭から消え、わが身を忘れたようになったことはないだろうか。

こうした状態を、ニーチェは芸術や美学における「ディオニュソス的」なものと呼んでいる。

ニーチェは古代ギリシャの文化やショーペンハウアーから影響を受けて借用し、あらゆる文化と芸術は「アポロン的」と「ディオニュソス的」の類型に分けられると説いた。いずれも、誰もが内在化している意識のおかげで認識でき、人間の本質の二つの側面を映し出している（どちらがより強く出るかは人によって差がある）。

アポロン的なものははっきり定義されていて理性的だ。幾何学的な美をもつ建築、曲線からなる彫刻はアポロン的たるものの極みだろう。きれいに整っていて、秩序があり整然としている。すべて解けた数独しかり、ゴールデンゲートブリッジしかり、人工知能（AI）のアルゴリズムしかり。

アポロン的な人はロジカルな考えかたを好み、小説よりも教科書、芸術より科学を大事にし、物事がきちんと整った状態であることを好む。

一方のディオニュソス的なものは調和よりも混沌だ。陶酔、熱情、熱のこもった言葉を指す。聴く者に狂気にも似た陶酔的な歓喜をもたらすという点で、ニーチェは音楽をディオニュソス的なものの頂点とみなした（92ページのショーペンハウアー参照）。3時間におよぶ読書会、夢中になったドラマの一気見、陽気なパーティーの酔いしれるような高揚感。純粋で、強い力を持つ現象だ。

ディオニュソス的な人は行動が不規則で読めず、荒っぽいが、創造性や想像力にとみ、自発的に動ける面も持ち合わせる。考える前に動く、調べる前に飛び込んでみるタイプだ。

もっとも純然たる偉大な芸術は両者が合わさって生まれ、古代ギリシャ悲劇はその結晶であるとニーチェは見た。だがニーチェがより価値を見いだしたのはディオニュソスの方だ。そこに人間の本質があると考えたからだった。機械的な抽象性よりも感情に重きをおいた。

すべての芸術を二つのモデルにきれいに分けるのは単純化のしすぎだが（インターネットの診断テストの類や、科学的根拠のない「左脳タイプか右脳タイプか」の議論はその例）、ニーチェの類型化にも意義がある。テンポのいいスイングが好きかバレエが好きか、本と大聖堂のどちらに惹かれるかには、なんらかの違いがあるのは間違いない。二つの概念を知っていると、新たなレンズを通して芸術を味わうことができる。それは少なくともプラスになるはずだ。

アドルノ

文化産業

よくわからない無名の外国映画を観て、「今観たのはいったいどういう話だったんだろう」と困惑した経験はないだろうか。あまりになじみのない世界で理解できない、と感じる作品を観たり読んだりした記憶はないだろうか。文化はすっかり私たちの生活に根づき、決まった型が定着しているせいで、それがいかに人の手でつくられたものかを認識するのは難しい。多少の例外はあれど、大半の映画や本は似たような形式、似たような主題を踏襲している（180ページ参照）。そうした作品が規範や価値観を築いてもいるのだが、私たちはそのことに気づきはしない。

ドイツの哲学者テオドール・アドルノが「文化産業」論で展開したのはまさにこの点だった。アドルノはこれを危険で抑圧的であり、人を鈍化させるとみなした。

20世紀前半、欧州ではマルクス主義者から「無産階級の労働者はなぜ立ち上がって、搾取する抑圧的なブルジョアのもとを去らなかったのか」との声が上がった。マルクス自身はこれを予言していたのだが、状況は移り変わってしまっていた。アドルノは答えを現代の文化に見いだした。文化が「偽りの意識」をつくり出したと主張したのだ。

支配階級による「文化産業」が力を得た結果、革命を希求する精神が鈍化するに至ったとアドルノは論じた。資本主義が特定の美徳や価値観を神聖で侵すべからざるものとして打ち立て、あらゆる映画、本、歌などがそれを後押しし、資本主義の嘘を繰り返し吹き込んだ。嘘はやがて人々のあいだに内面化され、既定事項として受け入れられた。抑圧された側さえ、他の道を見いだせない。

だがこの嘘とは何なのか。抑圧される側はどのような「偽りの意識」を取り込んだのか。マルクスが説いた「物神崇拝」の考えにアドルノは賛同した。これは、あらゆる物に交換価値を見いだし、使える物の観点から世界を見る（執着に近い）思考と価値体系を指す。この価値体系が紡ぎ出す「嘘」は、すべてのものに代価がつけられていて、人は生来、利己的で欲深い、というものだ。

つまり、高潔な働き者の主人公が、エリート階級で繰り広げられる競争社会を勝ち抜き、貧者から富める者へとのし上がる映画も、富と享楽を高らかに謳う歌も、田園地帯の豪華な邸宅や上流社会の暮らしを描いた本も、みな徐々に少しずつ、そうした意識を植え付けているのだ。価値は富にある。貪欲は善だ。すべては「文化産業」の一部であり、あらゆる抵抗の刃を鈍らせ、骨抜きにし、武器を捨てさせる。革命の芽を「まあ、しかたない」とつぶやく民衆の姿に変えたのだ。

これに対抗するには一種の文化戦争が必要だとアドルノは説く。文化は商業的な目的達成の手段になりさがっているが、そこから取り戻さねばならない。芸術は挑み、抗い、力を与えるものであるべきで、人を鈍化させ、感覚を奪い、幼児化するものではない。芸術は私たちを怒らせるものであるべきだ。世界は怒るべき事柄にあふれているのだから。

サノス

エコテロリズム

　考えに考え抜いた末、あなたに残されたのは二つの選択肢しかないとわかった。大きな害悪をもたらす行為にあえて出るか、何もしないでさらに大きな害悪がもたらされるままにするか。あなたならどちらを選ぶだろう？　害を加える行為に出るのは、行動を起こさずにもっとひどい害を招くよりも悪いのだろうか？

　マーベル映画の世界で無敵のパワーを誇る敵役、サノスに立ちはだかるジレンマはまさにこれだ。

　熟考の末、サノスは残念な結論にたどりつく。生命は死と破滅へ向かう道を進んでいる。いわく「宇宙には限りがある。資源にも限りがある。生命をこのまま野放しにしていれば、やがて滅びる」。

　戦争が起き、子どもたちは必要な栄養をとれず、宇宙全体が窮地におちいる。サノスはこう宣言する。「修正が必要だ。それをわかっているのは私だけだ。少なくとも、私だけがそのために意志をもって行動している」

　サノスには二つの選択肢がある。一つ、強大な力を使い、みずからの手で宇宙の生命の半分を滅ぼす。二つ、自分は手を下さず、行き詰まったディストピアで生命が衰え、朽ち、死してゆくままにする。

これはつまり設定を変えたトロッコ問題だ。トロッコ問題はもともと1960年代に哲学者フィリッパ・フットが提起した思考実験で、暴走するトロッコの進路を変えて一人の命を犠牲にするか、何もしないで線路上の5人が轢かれるままにするか、どちらを選ぶのか問いかける。

フット自身は二重結果論を用いた解決を考えた。トマス・アクィナス（36ページ参照）にさかのぼると、悪い結果を意図した行為は誤りだが、悪い結果が予測されるものの避けられない場合、その行為は許される、とする考えかただ。付帯的に生じた損害という理論である。

この説をとると、サノスは間違っていることになる。大勢の命を奪うというサノスの直接的行為は悪だ。不作為によりどんなレベルの害悪を招くよりも悪い。だが、実際はそんなふうに明快だろうか？

見かたを変えれば、このジレンマは規則か「より多数のための利益」か、結果か「理論」かの衝突ともいえる。腹をすかせてうろつくオオカミに無垢な子どもたちが食べられてしまうのを許すよりは、オオカミを殺す方がよしとされるのは明らかだ。サノスが指を鳴らして全生命の半分を消し去った結果、残る半数が全体として格段に救われるのであれば、何が悪いのか？

そう考えると、正しいのは誰なのだろう。悪に必要なのが「何もしない善良な人間」であるのなら、サノスはマーベル映画の世界で唯一の善良な人物になる。サノスが集めた強力なパワーをもつ石、インフィニティ・ストーンを手に入れたら、あなたはどうするだろうか？

日本の美学、間（ま）

空白のもつ意味

人は普段、空白には目を向けない。例えば、英語で書かれた本の文章には、単語と単語、文と文のあいだにスペース（空白）が散りばめられている。スペースが一切なければ、いかに読みにくいかは一目瞭然だ。文字や言葉、形や物体は、まわりに空白があってこそ存在が明確になる。さらには、人の思い、関係性、思考も同様に、私たちが付与する空白によって定められる。

これが、日本で空白を意味する「間（ま）」の意識だ。起源は中国の老荘思想にあるが、その真髄は日本的だといってさしつかえないだろう。1970年代に建築家の磯崎新（あらた）によって広く知られるようになった。

間は切り離されたもの同士のあいだに配した空間で、間があってこそ両者は存在でき、成り立つ。デザインの世界なら、二つの形のあいだに挟んだ空白を指す。画家からインテリアデザイナーまで、美を手がけるアーティストであれば空白が果たす役割についてはよくよく考えるものだが、「間」は哲学用語としてもあてはまる。

古来日本の寺院は、坂や丘をいくつも登ったり、道なき道をたどったり、難儀な道を進んだ最後にたどりつくことが少なくない。参拝に先立って心を空にすることは不可欠な行程だとみなされている。心に空白をつくる過程ともいえる。

日本人の会話では、言葉が途切れて間があったり、最後まで言い切らずに余白を残したりする場面がめずらしくない。いずれも西洋の会話のスタイルからみるととまどうかもしれない。相手に対して丁寧に耳を傾け、じっくり考える姿勢は、自分の考えを伝えたり「落ち着かない、居心地の悪い」沈黙を埋めたりするのと同じように意味があるとみなされている。これが「間」の例だ。

間がよしとされるのは、空白や沈黙そのものに大きな力があることを理解しているからこそだ。会話というものは、自分はいったん黙って相手の話に耳を傾けるのが一番だ。聞いたことを受け止め、じっくり考える時間をとれればさらにいい。感情にまかせた激しい言葉の応酬からは、物事の本質を見抜き理解することはできない。沈黙のなかで、何時間あるいは何年も経たあとで、思考が芽生え、根を下ろしてこそ、深い理解が得られたりする。こうした思考を育み、形にするために必要な水が「間」なのだ。

最近では「心に余白をつくる」「休止時間を設ける」などというが、まさに「間」の大事な要素がここに表れているだろう。だが「間」はどこにでもある。穴という無の空間しかり、個人と群衆を分ける隔たりしかり、文章の行間に配された空白しかり。「間」とはただの無でも欠如でもなく、そこからあらゆるものが芽吹く庭の一画なのだ。

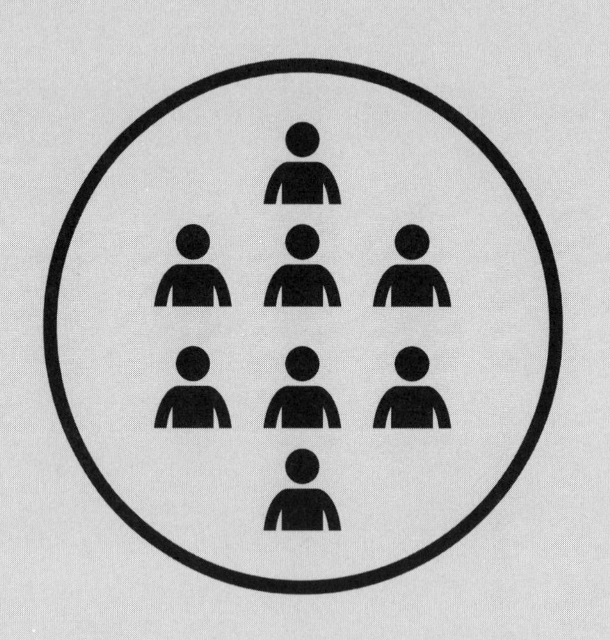

社会と人間関係

人はほかの人とともに生きるからこそ人間なのだとアリストテレスは言った。私たちの誰もが、大なり小なり形は違えども、なんらかの形で人とかかわりあって生きている。人はみな誰かの子であると同時に、人類という大きなくくりの一員でもある。その中間にもあらゆるかかわりあいがある。人は社会の中で生きてゆくしかない。

私たちはそのようにできている。それが人間の DNA だ。

社会とは人間がともに生きていくありかたであり、人間関係は私たちが個人的に互いにとりあう姿勢のことで、それが人生を形づくっている。

プラトン

純愛

人はみないずれ老いる。老いの現実に抗ったり、それを遅らせたり否定したりはできるかもしれない。しかし若き日々に誇っていたものはすべて、いつかは盛りを過ぎ、衰える。そこでこんな疑問がわいてくる。もし若く魅力あふれるときにだけ愛する人と出会うのなら、人を愛するとは何を意味するのだろう？　言葉や行いで誰かと将来を誓いあったとき、自分や相手の肉体が別人のように変わってしまったらどうなるのだろう？

プラトンが愛の意味について考察したとき、考えたのはこのことだった。

愛についてのプラトンの理論は、肉体と魂をめぐる広い見解をもとに形づくられている。プラトンの解釈によれば、人間は魂が肉体にとらわれた、あるいは包まれた存在にすぎない。

この魂が私たちの純粋な本質であり、魂があればこそ人はこの堕落した、偽りと幻想の世界（290ページ）を超え、表向きの「現実（現象界）」の背後にある真の完全なる現実（イデア界）を見つめることができる。魂は真実に開かれた窓なのだ。

このように世界を理解したうえで、愛は二つの形をとるとプラトンは考えた。世俗的な（卑俗な）愛と、神聖な（純粋な）愛だ。

卑俗な愛は物質的であり、空虚で浅い。肉体的に惹かれることであり、性的な欲求、肉欲だ。あるのは快楽だけで、皮膚がたるみ、髪が白くなるにつれ愛も薄れてゆく。現代ならのぼせる、あるいは性的に覚醒すると呼ぶ状態かもしれない。肉体の愛だ。

一方、純愛は相手の魂にふれる。真の深遠な姿に目を向ける。純愛は肉体の変化など意に介さない。身体という外側の殻がどう変わろうと、ぶれず、忠実で、深い愛情は揺るがない。さまざまな変化があっても、それを超越した本質に対するコミットメントなのだ。二つの魂が密に結びつきあう、魂の愛だといえる。

現代でプラトニック（プラトン的）ラブというと、性的な要素を排した結びつきを指す。相手に健やかで幸せでいてほしい、一番よい自分を引き出し輝いてほしいと願う気持ちだ。プラトン自身は愛の定義において性的な欲求を排除すると明言してはいないものの、身体的なものを超えた先を見る営みを愛と解釈し、ときには性的な営みによってそれをなしえる場合もある、と考えていたと受け取ってさしつかえないだろう。いわば身体を通じて相手の魂をたたえる行為だといえる。

自分は年老いて衰えた、髪は白くなり顔にはしわが刻まれた、それでも幸運なことにそんなことはみじんも気にせずに手を取りあえる人が身近にいる——そんな人はプラトンのいう愛を思い出してみてほしい。

純愛とは盲目の愛ではなく、むしろ鋭く本質を見抜いているものだ。見かけに惑わされず、その奥を見抜いている。流浪する二つの魂がともに受容しあい、交わることなのだ。

モンテーニュ

感情の矛先

今日はさんざんな一日だった。上司から「ちょっと話がある」と呼ばれて行くと、よくない話を聞かされた。熱いコーヒーで舌をやけどした。傘を忘れてびしょ濡れになった。確実に風邪をひいた気がする。そんな一日を終えて家に帰り、夫にあたってしまった。ささいなことに過剰に反応してかっとなり、夫は少しとまどい、悲しげだった。

こんなとき、16世紀のフランスの哲学者、ミシェル・ド・モンテーニュは事態をよくわかっていた。この人は感情を間違った相手に向けていて、そう気づくことがこの不条理を知る第一歩になるのだと。

人間は感情に動かされる生きもので、さまざまな強い感情を世界に向けてぶつけている。物事や人の言動に反応し、怒りや愛情、恐れ、好奇心などの感情が表出する。というよりむしろ、感情を抱くことがすなわちなんらかの言動をとることだ。感情は私たちになんらかの行動をとるよう求めたり、ときには強いたりする。人の強力な感情は「向けるべき対象、働きかけるもの」を必要とする、とモンテーニュは説く。

誰かに愛情を抱けば、その人を大切にしなくては、守らなければと感じる。何かに恐怖を感じれば、身を引いて離れるか、戦うかする。

感情をしかるべき形で表にあらわす道を閉ざされると、人は自分を「欺き」、代わりに働きかける「偽りの気まぐれの相手をつくり出す」とモンテーニュは指摘する。その相手が自分自身になることすらある。モンテーニュは怒りを例に挙げる。人は実によく、（ばかげているのだが）かっとなって物に怒りをぶつけ、腹いせをするではないか、というのだ。コンピューターのキーボードをばんと乱暴にたたく、裏切った恋人の服を燃やす、壁を殴る、など。壁が悪いわけではないのに。

古代ギリシャの哲学者プルタルコスも、人の抱く愛情や慈しみの気持ちについて同様の見解を記している。人間は所有物や「気にかけるに値しない物」に対し、なにかと過剰な愛着を抱きがちだが、それはそうした感情を向ける対象になる豊かな人間関係をもちあわせていないからにすぎない、という。物になぐさめや満足を求めるのは、人間にそれを見いだせないからだとプルタルコスは考えたのだ。

現代の心理分析学では、この行為を「転位」と呼び、状況をつくった原因とは別のところで感情を発散する行動を指す。冒頭の女性が上司へのいらだちを代わりに夫に向けたのもそうだ。人間の感情の働きをよく表す現象の一つだといえる。そういうものだとわかっていれば、例えば偽りの偶像に執着せずにすむかもしれないし、本来大切にすべき身近な相手をうっかり傷つけてしまう前に思いとどまることもできるのではないだろうか。

ソフィー・ド・コンドルセ

親が子に与える愛情

元をたどれば、すべては親から始まった。髭をたくわえ煙草を手にしたフロイトに言われるまでもなく、親が子にもたらす多大な影響は多くの人が認めるところだろう。親は子に世界の何たるかを教える。ふさわしいふるまいを示し、服を着せ、食べさせ、面倒をみる。だが何より大事なのは、親がそこにいるという事実そのものだ。山奥にたった一人でこの世に生まれ出る者はいない。人間は群れに属する生きものだ。人は互いに人を必要としている。

このシンプルな気づきをもとに、人間の道徳観は他者との協働を通じてのみ育まれると説いたのが、18世紀の哲学者ソフィー・ド・コンドルセ（グルーシーとも）だ。この世に誕生して間もないうちから受け取る愛情が人の道徳観全体の枠組みをつくる、とコンドルセは考えた。

人はこの世に生を受けた瞬間から、人に依存して生きるしかない。人間の赤ちゃんは人に支えられ、与えられ、愛情を注がれなければとうてい生きてはいけない。一般的には親が世話をするが、親とは別の乳母や親戚、自治体の職員の場合もあるだろう。人間は「あらゆる人に頼らざるを得ない運命」にある。

したがって、人間は初めから「自分が存在できるのはほとんどが他の人のおかげ」であると学び、人とのかかわりを避けてまったくの一人で生きたり、他者の痛みや喜びに一切関心を払わずに生きたりすることはできないと知る。人は人生でまず、困ったら人が助けてくれるのだと学ぶ。だからこそ私たちは自然に周囲に順応するし、思いやりや倫理観、優しさはみなこうして愛情に支えられた幼少時の体験から芽生える。

コンドルセが異を唱えたアダム・スミスは、思いやりは自己の利益から生まれると主張した。人は自分の希望や要求、感情を他者に投影する、ととらえたのだ。これに対しコンドルセは、この解釈は人間が人間たるゆえんを見誤っているとみなした。人は人生の初めから結びつきや愛慕の情を経験しているがゆえに、人の痛みや苦しみに心を寄せられると考えた。相手が感じているから、自分も感じるのだ。

ということは、幼少期の人とのつながりによって道徳的な思いやりの心がつくられるのであれば、人との関係の質は思いやりの心と比例することになる。つまり、小さいうちから人を頼りにし、人とつながり、結びつきを強めれば、さらに相手に思いやりをもてるようになる。ならば、教育や子育て関連の法も、子どもたちが社会に適応していく過程も、そうしたつながりを育む方向を目指すべきだということになる。

女性の哲学者の多くについていえるが、コンドルセも歴史においてその功績を見過ごされてきた。コンドルセの考察や文章は、彼女が時代のずっと先を行っていたこと、現代の心理学で繰り返し証明されている事実をすでに認識していたことを示している。すなわち、愛情が愛情を形成し、人の優しさが心優しい人をつくる。のびのびとして幸福な、道徳観を備え調和のとれた人間には、親の心くばりが欠かせない。

マードック

人のよい部分に目を向ける

人と会うとき、私たちは大量の先入観や固定観念を携えて臨む。相手に対する判断をもっともらしく仕立てる、数々の無意識の認知バイアスに加え、通常の記憶、知覚、感情を会う人すべてに結びつける。例えば、以前ひどい言葉を投げつけられた経験が痛烈に記憶に残っていれば、慎重になってあまり口を開かない。「この人はいらだっているな」と話しぶりから感じ取ったら、その場を離れて別の人に話しかける。無意識であれ意識してであれ、私たちは人との関係に自分を持ち込む。

英国の作家アイリス・マードックが「注意」という語を用いて警告したのはこの点だ。このことを念頭において行動すれば、世界は確実にもっと光と愛に満ちた場所になるに違いない。

マードックは哲学者として教壇に立ち、のち小説家として名をはせたが、いずれの活動からもその思想の端緒をつかむことができる。マードックは当時勢いに乗っていた道徳相対主義（何をモラルとするかは人によって異なるとする考えかた）や、人間を中心にした善悪の価値観に対抗する立場をとった。人類がわかりかつ共有できる、世界に関する一定の道徳的事実があるはずだとマードックは考えた。親切な行為、冷酷な態度、心の広い行い、自己中心的なふるまいなど、どれも客観的にみて善か悪の行為だ。倫理に関しては、マードックは「選択」ではなく「ビジョン」の語を好んで使った。いわばよりどころになる第六感のようなものだ。何が正しいかはおのずとわかるものであって、選択するわけではない。

そこで注意力は、しかるべき視点で他者を見るために誰もが備える道徳的な力になる。つまり、その人に備わっている善の部分に目を向けることを指す。誰かに注意を向けるとは「心をこめた正当なまなざしを個人に向ける」行為であるとマードックは解釈する。人が抱える複雑さ、過去、普通とは違う風変わりなところ、すべてを受け止めたうえで、最上の部分にだけ目を向ける。種々雑多なものを抱えた一人の人間全体を受け入れ、許容し、力づけ、支える。負の過去にはこだわらない。相手に悪意がある前提で接したり、相手が失敗するのを待ったりするのではなく、期待と愛情をもって相手に「注意を向ける」のだ。批判や決めつけを一切せずに人を見なければならない。

簡単ではない。フロイトを信奉していたマードックは、人が自分の見解や偏見を捨て去る難しさをわかっていた。そこでなすべきなのがマードックいわく「自己を脱する」ことだ。自我を手放し、固定観念という荷を置いて臨む。自分本位の私心を見つめるのではなく、外に目を向ける。

今度人に会うとき、マードックのいうように注意を向けてみよう。普段するように相手を見ずに、よいところに注目する。過ちなどおかさない、生まれながら内面に善を備えた人なのだと思って接する。その人ができることに目を向ける。人の複雑さを知って、人間として生きるのは大変なのだとあらためて受け止める。みんながそうすれば、確実によりよい世界になるはずだ。

ウェーバー

勤労の意味

時計に目をやる。さっきから何度めだろう。もう6時半だ。上司は一向にミーティングを切り上げる気配がない。どうして誰も何も言わないんだろう？　夫には帰宅がちょっと遅れそうだとすでにメールした。家に帰るころには子どもたちはとっくに夢の中だ。なぜまだ仕事をしているのか？　そもそも、早く帰りたいと思っていることをなぜ申し訳なく思ったりしているのだろう？

マックス・ウェーバーが1905年に発表した論文『プロテスタンティズムの倫理と資本主義の精神』に、答えが見つかるかもしれない。

20世紀初頭のドイツで書かれた論文で、ウェーバーは資本主義および資本主義がもたらした富と繁栄がなぜキリスト教国だけ、とりわけプロテスタントが優勢な国で根を下ろしたのかを解明しようとした。たまたまそうなったわけではなく、プロテスタントの教義がある種の労働観と生きかたを人々にもたらし、それが資本主義の豊かな土壌となったとウェーバーは考えた。

プロテスタントの教義に由来する、資本主義における美徳には次の二つがある。
一つは、世俗的な職業を神聖なもの、浄化するものとみなす。つまり、労働を聖なる義務と位置づける。
もう一つは、貨幣を再投資に回す反快楽主義やピューリタニズム（清教徒主義）の理念で、飲食や娯楽に金をつぎこまずに資本として回収する。
新約聖書だけでは資本主義的風潮の台頭を説明しきれない。「汝の隣人を愛せよ」や「徳高くあれ」といった教えは、「自分の利益を追求」する資本主義（とアダム・スミスは『国富論』で書いている。340ページ参照）と相いれない。資本主義もそうだし、収益、利益、不履行、人間本来のありかたといった「経済的な視点で物事を見ること」も同じだ。さもなければもっと早くに興ったはずだろう。
17世紀のピューリタニズム、なかでもカルヴィニズム（カルヴァン主義）が、救いは勤労によってのみもたらされるという感覚を人々に広めたとウェーバーはみる。カルヴァンの主張によると、天国へ行けるのはごく少数の選ばれた人間であり、富と「神に選ばれし者」を結びつけて考えるのが一般的になった。そうして、労働が救われる人間になるための手段とみなされるようになっていったのだ。
やがて、人生の価値と意味全体がどれだけ懸命に働いて成功を手にしたかで判断されるようになる。長時間働き、身をすり減らすことがすばらしいと美化された。それができない者は落伍者とみなされかねない。
現代の私たちもこの価値観を背負っている。メールに返信しなくては相手に悪いと感じる。同僚の中で一番先に退勤するのは気が引ける。採用面接では「仕事を楽しんでいます」とほがらかに宣言する。仕事を引退した人の多くが、働いていない感覚に慣れるのにかなり時間がかかったと告白する。私たちは自分が何者かを定義するのに職業を持ち出すが、その思考がいかに不自然で仕組まれたものかをごく早くから指摘したのがウェーバーだった。「プロテスタント的労働倫理」が真か偽か、ひいてはよいのか悪いのかは、とらえかた次第だ。

デュボイス

二重意識

ビルは楽しみと緊張が入り混じった気持ちで学校へ向かっていた。今日はみんなで名刺交換をする日だ。手には自分の名刺をしっかり握りしめている。初めて話す女の子にゆっくりと近づいていく。
「これ、ぼくの名刺」差し出すと、女の子はさっと視線を走らせ、顔を上げる。すると女の子の表情がくもった。

ちらっとビルを見たあと、女の子は視線をそらした。ビルは黒人だ。女の子は白人だった。ビルの名刺を受け取ることはなかった。

この実体験を出発点に、米国の社会学者で市民権活動家のW. E. B.デュボイスは「二重の意識」の理論を展開した。人種の哲学を考えるうえで重要な概念だ。

ジム・クロウ法による黒人差別が広く行われていた1903年、デュボイスはエッセイ『黒人のたましい』（岩波書店）を発表した。デュボイスは合法化された人種隔離と白人による暗黙の偏見により、黒人はいわば「第七の息子」として扱われていると論じた。アメリカの全人種のなかでもっとも地位の低い、劣等であり逸脱した存在とみなされている、としたのだ。

そのため黒人は「二重意識」と呼ぶべき感覚をもつようになった、とデュボイスは説く。生まれ育った場所に居場所がなく、自国なのに疎外される。多数派である白人から審判を下され、存在を定義される。その結果「(黒人は) 常に他者の目を通して自己を見る」感覚を抱いているという。

デュボイスは次のように記す。「黒人は自己の二重性を感じている。すなわちアメリカ人であることと、黒人であること。二つの魂、二つの思想、調和することのない二つの努力、一つの黒い身体の中で戦っている二つの理想。その身体がばらばらにならないようとどめているのは頑強な体力だけだ」。黒人は二つの方向へ引っ張られる。「アメリカをアフリカ化」したいわけではない。かつ、「白いアメリカニズムの中で黒人の魂を白く漂白」したいわけでもない。

この「二重意識」をデュボイスがどうとらえたかについては、いくつかの議論がある。一方では、この二分したアイデンティティが自己の存在をめぐる不安を生み出し、権利を求めて進歩、自由、平和を呼びかける声の妨げになるかもしれない。他方では、切り離された、俯瞰した視点から自分たちの社会を見ることにより、みずからが生きる世界と価値観をより深く理解できるともいえる。さらには、二重意識を乗り越えるために必要な「頑強な体力」が「二重の自己をよりよい、より真実の自己への統一」に導いてくれるかもしれない。

この二つの自己認識の融合と和解が、例えば1920年代から30年代のハーレム・ルネサンスのようなブラックカルチャー運動を花開かせるために不可欠の要素になった、とする見かたもある。

デュボイス自身はこれに対し明確な解決策や意見は示していない。その必要性やメリットを感じていなかったのかもしれない。それでも、二重意識をめぐる考察は現代にも通じる。人がどう自己認識を形成するかは決して軽視してよい問題ではない。自分が他者に、そして自分自身に何をどう投影しているのかは、あらゆる人が目を向けるべきだろう。

ウルストンクラフト

フェミニズム第一波

社会を構成するすべての人が力を手にし、地位を向上させれば、当然、社会全体の利益になるのではないだろうか？　かけっこで勝ちたければ、わざと片脚跳びをする人はいない。飛んでくるボールをキャッチしたければ、両手を後ろに回しておく人はいない。持てる力の半分しか使わずに走る意味は何なのだろう？

18世紀に女性の権利の擁護を説いた英国人、メアリ・ウルストンクラフトの発想はまさにこれだった。

ウルストンクラフトは一般的に、女性解放思想家の先駆けとみなされる。彼女が生きた18世紀の英国社会では、女性が投票権や法的権利、経済的権利、さらには教育の機会を得ることが否定されていた。現在、ウルストンクラフトは「第一波フェミニズム」の旗手と位置づけられている。まず何よりも法律面、政治面で対等な権利を求めたのが第一波フェミニズムだ。

「女性にも権利を与えよ、そうすれば男性の徳にならって励むはずだ」とウルストンクラフトは呼びかけた。機会を与えられさえすれば、女も与えられた仕事に応じて力を発揮する、というのだ。

この主張は現在の基準に照らすとやけに男性中心的な態度に聞こえるかもしれないが、ウルストンクラフトは働きかける相手を承知していた。常に根拠と理屈をもって論じるよう注意を払い、当時の英国にはびこっていた「ヒステリックな女」という女性蔑視のステレオタイプをさらにあおらないように気を配ったのだ。

一方の性全体とその知性、徳、才能を否定すれば、社会全体が貧する、というのが彼女の主張だった。女性を男性と家庭に隷属する存在に限定すれば、社会の進化をみずから妨げることになる。半分の動力で走っているようなものだ。さまざまな分野で女性があげてきた無数の成果に目を向けさえすれば、その主張がもっともなことは明らかだろう。その人が社会から顧みられなかったり、隠されていたり、高度な教育を受けられなかったせいで、どんな発明や進化を人類がみすみす逃してきたかわからない。このような状態を続けていれば、この先もどれだけの損失があるだろう？

政治思想としては、ウルストンクラフトはジョン・ロックの考えを支持し、義務と権利はコインの裏表にあたると論じた。適切な社会契約（320ページ参照）が結ばれていない状態では、女性は付随するはずの権利がないまま義務を果たすことを求められる。それでは女性は労役に使われるだけの存在だ。

このように、女性を隷属させるのはそれ自体が道徳的でないだけにとどまらず、最大限の生産性という恩恵を社会に与えないという点で、功利主義の見地からみても不利益をもたらす。ウルストンクラフトが生きたジョージ王朝時代の男たちも、この客観的な論理は否定できなかったはずだ。

マルクス

階級闘争

銀行屋？　あいつらはとにかく金しか頭にないじゃないか。金持ちどもは何でも値段ばかり見るが、ものの価値になんて見向きもしない。世界に不平等がはびこるのも、人間が互いをいたわりあうよりモノを買うことにばかり熱心なのも、やつらのせいだ。あいつらは毒だ！　寄生虫だ！　進化の妨げだ！

いかにも今の時代にありそうな悪態だ。だが「銀行屋」を「ブルジョア」に置き換えると、たちまち19世紀ドイツのプロイセンで生まれたカール・マルクスの「階級闘争」の話になる。

マルクスの思想はとかく右派からはねじ曲げられてけなされ、左派からはいいところだけを抜き出されてもてはやされがちだ（かつ、どちらにしてもきちんと読んだ人はめったにいない）。だがやはり考察するだけの価値はある。

資本主義を体現するブルジョアジー（有産階級。工場主、大邸宅で暮らす層、銀行家などを指す）は利益の観点から世界をとらえる、とマルクスは考えた。生産手段を管理する立場にあり、そのゆえにコスト削減と生産効率を何よりも大事にする層だ。

対するプロレタリアート（労働者階級）は、よりよい労働条件、賃金、仕事に対する満足を求める。彼らが価値をおき励む目的は収益ではないが、ブルジョアジーと同等の生活水準は望む（興味深いのだが、マルクスは有産階級が必ずしも裕福とは限らず、労働者階級が必ず貧困であるとも限らないと考えていた。現実にはその場合が多いのだが）。

表面上、目指すところが相反する二つの階級がぶつかるのは明白だ。そこで「階級闘争」が生じるとマルクスは説いた。必ずしも文字どおりの戦いではなく、思想闘争や知の支配といった意味合いが強い（マルクス自身、生涯を通じて民主主義を支持する立場を貫いている）。

マルクスいわく、資本主義は封建制を崩壊させ、領主と使用人、貸し付ける者と借りる者といった義務に縛られた関係性を廃した。前近代社会には、欠陥は（多数）あれど人同士の結びつきが存在した。いまや残されたのは人間味のない数字と欲だけだ。経済と生産は冷たくよそよそしく、役人が手がけるものになった。ブルジョアたちは生産手段（および威嚇する手段としての砲艦）を有するがゆえに力をもっているため、ゲームのルールをみずから決めた。すなわち金と利益がもっとも強いのだ。

人間さえも取引できる商品だとするたちの悪い神話を見抜けさえすれば、労働者階級もみずからの生活を立て直し、社会のイデオロギーに対する力を取り戻せる、とマルクスは主張した。もっと公平で優しい、平等な社会を築ける。利益のためではない、人間のための社会を。

闘争とは消費主義と共同体の、企業と人間の、リソースとしての人間と尊厳あるものとしての人間との闘争だとマルクスは考えた。つまり、階級に限った闘争ではなく、すべての人間の精神そのもののための戦いなのだ。

孔子

礼

何かの一員になるのは、時としていいものだ。自分の居場所がここにあると思え、その体系の中で自分の役割を務めることによってもたらされる一体感を味わえる。人間は一般的に、社会のどこに自分の居場所があるのか、どこならふさわしいのかを知りたいものだ。どんなルールがあるのか。どんなふるまいをすべきか。受け入れられることとそうでないことの線引きは？　そのことを理解すれば自然となじむ場所が見つかる。

儒教の核となる教えに「礼」がある。古代中国の思想家、孔子を祖とする儒教は現世の宗教と呼ぶのが何よりふさわしいだろう。神や超自然的な存在そのものはもたないが、社会や倫理をめぐる厳然たる哲学を備え、しきたりが厳格に規定されている。礼もそうした規範の一つだ。礼は「しかるべきふさわしいふるまい」とも言い換えられる。宗教的な意味合いを帯びる場合もあるが、基本的には社会を念頭においた日々の行動の規範と位置づけられる。

儒教では世界には（天地万物を含む世界、世俗的な世界ともに）秩序があるととらえ、人が充足感を得るためにはそれを認めるのみならず、実現し維持するための実践が必要であると説く。この秩序が人と人とのあらゆる関係を築く。この人間同士の関係に対してなされる、よき行いをつかさどるのが礼だ。人と人との結びつきを築くふるまいであるといえる。

儒教、ひいては東洋哲学全般は、人間の本質を全体論的な視点でみる。つまり、自分のアイデンティティや目的は他者との関係において決まるととらえる。「私」という存在は「娘」「友人」「父親」「隣の家の人」といった概念と結びつけてはじめて意味をもつことになる（このとらえかたはヘーゲルと通じる面がある。134ページ参照）。

そこで他者に対する行動を規定したのが礼だ。自分は何者かという自己認識を客観化し、提示し、他者へとつなげてくれる。

西洋でも礼は無縁ではない。声をあわせて合唱する楽しさ、おばあちゃんの荷物を運んで役に立てる喜び、家族やコミュニティ、国の誇りを知っている。自分を優先せず、かといって最後に回すのでもなく、ただ自分が属するところに立つ、そうした折々の行いから成り立つのが礼だ。しかるべき発言をし、喜んで自分の役割を務めながら、ほかの誰かが続いて加わるのを待つ。

私たちは時計の歯車であり、大河の一滴であり、森の中の一本の木だ。受け入れられて支えられ、一員になれる場所がある。それはすばらしいことなのだ。

ヘーゲル

世界精神

何であれ、ほかの一切と切り離して存在できるものは一つとしてない。人でも物事でも、言葉で言いつくせないほどの長い物語がある。その人その事柄がいかにして今のようになったのかをめぐる、背景の物語だ。何かを深く理解するには、その背景から枠組、ここに至るまでの歴史との関係までにも目を向けねばならない。すべてがつながりあった壮大なネットワークとして、神の目を通して見るように物事を見なければならない。

これをG. W. F. ヘーゲルは「世界精神」と呼んだ。万物が絶えず進化と前進を続けながら発展する、普遍的なつながりを指す。

ヘーゲルは19世紀以降、理解されにくいながらももっとも影響力をもった哲学者の一人といっていい。ヘーゲルの思想はのちにサルトルとボーヴォワールの実存主義や（ヘーゲルを批判した）キルケゴールにも影響を与えている。ヘーゲルが提唱した精神の現象学をのちにカント、フッサール、ハイデガーが発展させた（271、311ページ参照）。また何よりマルクスとエンゲルスの発想の原動力となり、そこから共産主義運動が世界規模で展開していった。

ヘーゲルの考察の基礎にある思想は、万物はつながりあっているととらえるこの概念だ。どんな事実も物体も人も、その断片だけでは理解できないとヘーゲルは考えた。あらゆる事物は他の何かと照らして、他の何かとの関係において定義される。この本を例にとってみよう。本書をまるごと理解するには、この本をこうして目の前に連れてきてくれた、そこに織り込まれた物語に目を向けなくてはならない。製本した印刷機があって、企画を通した版元がいて、執筆した麗しい著者がいて、著者を育てた教育機関があり、著者の背中を押してくれた両親がいて——といった具合に。これをあらゆる事物にあてはめてみると、ほぼ無限に広がる世界精神がつかめてくるのではないだろうか。

世界精神はドイツ語で Weltgeist という。geist は精神や心を意味する（welt は「世界」）が、これだけでは概念を表すには不十分なので、哲学の世界では「世界精神」という言葉が使われる。世界精神は万物の総体であり、われわれ人間もその一部にすぎない。あらゆるところに存在し、万物を結びつけ網羅する網ともいえる。自分も他者も含め、すべての人の有限の精神はこの世界精神においてごく小さな一部を担い、わずかながら確かに世界精神を前進させる。自己実現も自己認識も、何かへの帰属も、この「精神」の内に自分の場所を悟り、受け入れることで実現する。

ヘーゲルは私より公、個より共同体、抽象理論より社会に重きをおいた思想で知られる。人間はみなこの世界精神の一部なのだと理解すれば、人は互いになじみ溶け込もうとするとヘーゲルは説いた。自身を他者と結びつけているロープに気づけば、人は互いの共通項に目を向けるようになる。「子」「友」「同国人」「人間」などから分離した「自分」は存在しない。人は関係性によって定義される。私たちはみな同じ船に乗っているのだ。

アッピア

コスモポリタニズム

「コスモポリタン」という言葉は、きわめて政治色のついた言葉になってしまった。一方では、人類が一つになって互いを受け入れ尊重しあう明るい未来の姿だ、とみる人がいる。他方では、違いを考慮せず画一性を追求する危険な全体主義だ、「スタートレック」に出てくる、他の種族を同化させて勢力を拡大するボーグに人間を変えてしまう、と危惧する人もいる。これをどう受け止めればいいのだろう。コスモポリタニズムとはそれほど二極化するような思想なのだろうか。

英国とガーナにルーツをもつ現代の哲学者、クワメ・アンソニー・アッピアは、そんなことはないと考える。われわれが思うよりもっと繊細な説明をもって率直にコスモポリタニズムを擁護する。

コスモポリタニズムという言葉は、啓蒙の時代を代表するカントにまでさかのぼる。カントとそれ以降の思想家は、コスモポリタニズムとは普遍的な合理性と人間主義から生まれた人類の兄弟愛を表すと解釈した。あらゆるすべての人間は、人間であるというそのことのみによって尊厳と価値を有する、とする立場だ。

アッピアはこの考えかたを取り入れてコスモポリタニズムを定義した。アッピアのいうコスモポリタニズムは二つの主な思想からなる。

一つめは、すべての人は自分以外の人間に対して道義的責任をもつこと。道義的に無関係な人間は一人もいない。言い換えれば、われわれはみな、たとえ遠く離れていたりわずかであったりしても、互いになんらかの義務を有する。

二つめは、違いは大切であること。人間であることにおいて多様性は重要だ。私たちが抱く文化の感覚は精神面で重要だが、それは「文化そのものが重要だからではなく、人間が重要であり、人間にとって文化が重要だから」だ。

この記述にはアッピアの考察の要(かなめ)となる要素が示されている。多様性や違いは私たちの個をたたえるという点でそれ自体がそのままで重要だ。ただ、それが至上の善ではない。二つの哲学には順番があり、もっとも重要なのが一つめで、次に二つめがくる。したがって、人間は自分の他との差異が全人類に対する義務と衝突しない範囲に限り、みずからの多様性を誇ってよいことになる。簡単にいえば「人は自分らしく生きていい、ただしその過程において他者を侮辱したり搾取したりしなければ」だ。

コスモポリタン的な思想に対してよくある攻撃は、不自然な公正さにつながるというものだ。例えば「自分の家族よりもシリア難民にもっと手を差し伸べるべきだ」のような主張だが、アッピアはこれを否定する。なんらかのアイデンティティをもつこと、違いがあって多様であることはすなわち、ある物事やある人に他より肩入れすることだとアッピアはとらえる。サッカーのアーセナルサポーターはアーセナルというチームを好んで応援する。カトリック教徒はカトリックの教会に通う。アメリカ人であれば他のアメリカ人同胞をひいきする。一切の偏りなく公平にすれば差異を消し去ることになり、そこに生まれる負はシリア難民に対しての（やはり存在する）道義的な義務より大きい。

人はみないくつものアイデンティティをもち、一日のなかでも場面ごとにあてはめて使い分けている。朝は父親としてふるまい、昼間は勤め先で働く会社員、夜はマニアックなマーベル映画好きになる。問題はこうした自己認識をかたくなにとらえすぎたり、アイデンティティを使って守りを固めるシェルターを築いたりするときだとアッピアは説く。私たちはいくつももっているアイデンティティのうち、ある一つ（「フランス人である」）は他（「姉である」）よりも重要なのではないかと考えたりする。それよりも、共通し重なり合う部分のあるアイデンティティにもっと目を向ければ、他者の気持ちを理解し思いやるために必要な連帯と協調をつくり出せるはずだ。これこそがコスモポリタンたる意義だとアッピアはいう。すなわち、差異だけでなく、共通項にこそ目を向ける姿勢が。

マッキノン

不公平なルール

時として、ゲームのルールに従うことがとてつもなく不公平になる場合がある。例えば、ダーツで一人だけ目隠しをさせられるとしたらどうだろう。あるいは二人が議論をたたかわせる討論会で、一人が相手の半分の持ち時間しか与えられないとしたら？　いずれの場合も、決まりを文字どおり守らせ、ルールを押しつけたとすれば、ばかばかしいほど一方的な結果になるだろう。

米国の法学者で政治活動にも携わるキャサリン・A・マッキノンは、現代社会を取り巻くフェミニストの議論をこのようにみる。ゲームの出場者同士がいまだ根本的に相当なレベルで対等でない場合、法や決まりだけがあっても不十分なのだ。

これまでにフェミニズム運動は数々の成果をあげてきた。先駆者であるメアリ・ウルストンクラフトやエリザベス・キャディ・スタントンに始まり、シモーヌ・ド・ボーヴォワール、ジャーメイン・グリアを経て現代のナオミ・ウルフやキャトリン・モランに至るまで、偉大な人々の努力と献身のたまものだ。しかしながら、フェミニズム運動は何を目指すべきなのか、法や政治面を変えるだけで十分なのかについて、まだまだ議論が必要だとマッキノンは訴える。

国の制度と法整備に注力すれば、法という客観的で中立な一種の権威づけになる、そうなればその規定により男女が対等に扱われる、と多くのフェミニストたちは考えたとマッキノンは指摘する。だがここで問題なのが、制度を手がけたのは男性であり、それゆえ男性のために設計された制度になってしまっていることだ。

「法の下の平等」を掲げる運動が根本的に見誤っているのが、女性が必要としているのはそれ以上である点だ。法律上の対等な扱い自体、女性の経験に影響する要素、すなわち立場の弱さや不安感、機会が拒絶されている事実をきちんと認めていないし、男性から女性へのしかるべき敬意や尊厳が欠けている点（無償労働に対する考えかたなど）も考慮されていない。

わかりやすくするために、少し乱暴だがこんな例を挙げてみよう。無法地帯の世界があって、誰でも自由に人を殺したり盗みを働いたりできるとする。これは「平等」ではある。ただ、男性が同じ男性を殺すことももちろんあるだろうが、男性が女性を殺す例の方がおそらく多くなることを見落としている。

簡単にいえば、男性は自分が安全で守られていると感じているためさらなる自由を求めるが、女性はそうは感じられないため、保護を必要とするのだ。

署名する当事者の片方（つまり女性）が安全な立場を保証されていない以上、対等な条約にはなり得ないとマッキノンは主張する。「中世の法体系で基本とされた地位の区分がまったく変わっていないことが明らかになった」のだ。私たちはかくして男性中心に偏った、家父長制が色濃く残る制度を引き継いでいて、たとえ大半の一人ひとりは平等主義に沿って生きていても、社会のあらゆる基礎は今もその影響を引きずっているといえる。

マッキノンのフェミニズム論は、平等なだけでは足りないのだと私たちに突きつける。制度に対して両者が対等であって初めて、平等が成り立つ。一つの属性の人だけを念頭に整備されたルールや法律があっても、フェアな社会は生まれない。であれば、多様で多義的な人間のありかたを反映させた決まりを整備するか、どの属性であっても要のところを平等にするか、いずれかの道をとらねばならない。

バーク

マナーが人をつくる

マナーの重要性についてあらためて考えることなどめったにない。マナーのようなつまらない代物からいったい何が学べるというのか。「ありがとう」をちゃんと言うとか、高齢のご婦人に席を譲るとか、子どもの前で乱暴な言葉を使わないとか、哲学とどう関係あるのか。靴ひもを結んだりかゆいところをかいたりするのと変わらない、何の変哲もない行為にすぎないではないか。

18世紀のアイルランドに生まれた政治家で哲学者のエドマンド・バークは、そうは思わなかったようだ。バークはマナーを近代社会における最重要事項の一つと位置づけ、統治機構や法によって支配する君主に欠かせない抑止力であるととらえた。

「マナーは法よりも重要である。法はマナーによるところが大きい」とバークは書く。マナーとは明文化されていないが期待されるふるまいのことで、それが社会を機能させる。またマナーというルールをよりどころとして人間は互いに手を携える。人前で食事をする際のふるまいから休日に家族で鑑賞する映画の選びかたまで、あらゆる場面にマナーはある。

マナーが重要なのは一人の人間としての私たちに責任を託すからであり、政治家に「法の範疇は何か、マナーだけが統制できるものは何か」を教えてくれるとバークは説いた。

後ろからくる人のためにドアを押さえておくのも、知らない人の大きなスーツケースを持ってあげるのも、親子が一緒に座れるように席を移るのも、べつに義務ではない。それでも、自分の価値観からそうした行動をとる。もしこれが法律で決められていたら、こうした行為を道徳的な独自のものにしている責任感は失われてしまうことになる。

マナーとは、私たちが政府よりも上位に位置づける、こうした価値観や規範を指すとバークは考えた。マナーは政治権力を抑制する。いや、それ以上に、政治機構が機能するのに必要な美徳を反映するのがマナーなのだ。国家という装置を動かすための油みたいなものだ。

2018年刊行の『民主主義の死に方』（新潮社）でも、共著者のダニエル・ジブラットとスティーブン・レビツキーがこのテーマを取り上げている。自由民主主義を機能させているのはその「規範」（バークのいう「マナー」と同じ）だと二人は論じる。例えば政治的に対立する相手に対する許容度（意見の違う相手を人間扱いしない、おとしめる、悪魔呼ばわりするといった行為をしない）や、制度上の権力を濫用しない（みずからの権力を維持するために憲法を変えるなど）自制の態度などが該当する。このような規範やマナーがなくなれば、自由民主主義が守れるとは考えにくい。

マナーがきわめて重要なのは、それが私たちそれぞれの価値観を明らかにし、個としての一人ひとりの手に責任を取り戻してくれるからだ。現代のわれわれは法律や契約が何よりも強いと思いがちだ。だがバークにいわせれば、法や契約は融通がきかず、得てして欠陥があり、誰もが備えている身近な良識とくらべればずっと下位にすぎない。

アレント

悪の凡庸さ

アドルフ・アイヒマンは歴史上もっとも非道といっていいできごとを引き起こした当事者である。ナチス統治下のドイツでユダヤ人を強制的に収容所に移送し、大量虐殺を行う計画を指揮した。戦後、逃亡生活を経て1961年に裁判にかけられると、いったいどんな悪人なのかと世界の注目が集まった。だが現れたのは陳腐な言葉を発するばかりの、さえない、目立ったところのない一人の役人だった。

ドイツ生まれのユダヤ人で、のちに米国へ亡命したハンナ・アレントはこの「アイヒマン裁判」を傍聴し、「悪の凡庸さ」という言葉でアイヒマンをはじめとするナチスドイツ側の人間を形容した。

国家が全体主義へと進むのはなぜか。アレントは二つの要素が必要だと考えた。まず、政府は人々が結束していては困るため、社会的な結びつきをことごとく壊し、国家権力による許可の下でのみつながれるようにしなくてはならない。第二に、危険で得体のしれない「他者」（例えば外国人や共産主義者、ユダヤ人などが想定される）が招いたとする恐怖や不安が背景に必要になる。この恐怖心は、人々に自分たちだけでは太刀打ちできないと感じさせるために植え付けられる。つまり、強力な権力が必要だと思わせるのだ。

この条件がそろうと、全体主義は簡単に基盤を築くことができる。いったん根づかせれば、全体主義的な権力者は人々を置き換え可能な経済上の駒、あるいは国家という装置を構成する替えのきく歯車とみなす。そうなると、市民は自分の価値は体制の評価によって決まると考えるようになる。これこそがアイヒマンがとらえた世界だった。彼の人生は体制にどれだけつくせるかの一点をよりどころにしていたのだ。

アレントは1958年に発表した『人間の条件』（筑摩書房）で、人間らしく生きるには三つの要素が欠かせないと論じる。

⑴ 労働

生きていくためにこなす必要のある行為。食事、睡眠、掃除など。それによって世界に何かを新たに加えることはなく、回復させたり維持したりにあてられる。

⑵ 仕事

世界の目にふれ、価値を見いだされる文化的な産物をつくる行為。人間が暮らし共有している実世界をつくり出し、それに寄与する行為を指す。家を建てる、本を著す、庭を手入れするなどはこれにあたる。つかの間であってもなんらかの影響を残す行為。

⑶ 活動

ここで政治的な領域に入る。他者との対話を通して自身の思考と向き合う行為。ここで私たち人間は共同であらゆる物事に意味をもたせるのだが、大事なのはここで人間が取り替えのきく個体（労働や仕事の段階ではこれにあたる）から、固有の一人の人間へと昇華することだ。私たちは番号を振られるのでなく、みずからに名前を与える存在になる。

全体主義は人々が活動を営む道を断ち、すべてにおいて意義を奪うとアレントは考えた。何の意義もないまま労働と仕事のあいだを行き来するだけの無味乾燥な存在へとおとしめるのだ。

アイヒマンが「悪の凡庸」さを晒(さら)したのは、労働と仕事のためだけに生きたからだ。自己を見つめ考える道を閉ざされ、みずからに問いかけることもなかった。達成すべき目標、手にすべき昇格しか視界になかった。アイヒマンは「命令に従った」だけでなく、彼の人生にはその命令のほかによりどころがなかったのだ。

宗教と形而上学

メタフィジックス（形而上学）の「メタ」とはギリシャ語で「〜を超える」を意味する。つまり、物理的な世界を超えた事物を考えるのが形而上学だ。神や天使、悪魔、霊、魂はすべて形而上の存在だ。善悪、美、愛、意識なども一般的に形而上学的なものとみなされる。

宗教と形而上学は、いずれも科学では扱えない事象を対象にする。物理的な事物を超えた世界なのだ。

アル＝キンディ

宇宙の始まり

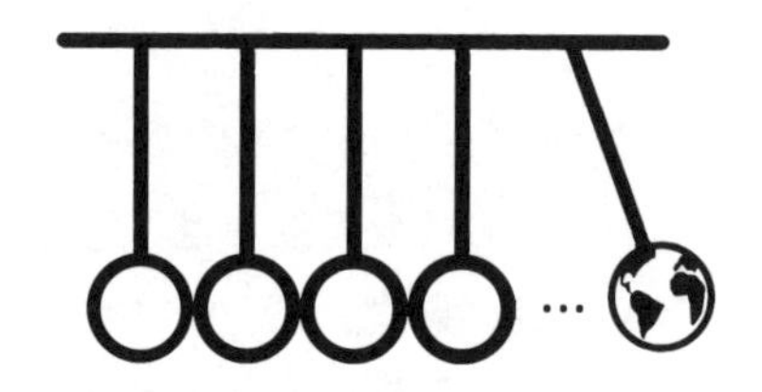

千里の道も一歩からというように、壮大な小説も書き出しの一語から、交響曲も最初の一音から始まる。すべてに始まりがあり、あらゆる物事に原因や理由が存在する。

このシンプルな考察が、神をめぐる議論のなかでも広く普及している宇宙論の基礎にある。その起源は古代ギリシャにまでさかのぼるが、これをもっとも明確に書き表したのは9世紀のイスラム哲学者、アル＝キンディだった。その論理はシンプルだ。

第一の前提として、存在するあらゆる物事には存在する理由がある。

第二の前提として、宇宙には始まりがあった。

したがって、宇宙にも存在する理由があるはずである。

人間の心は説明がつかない物事を嫌い、不意にあるいは無秩序に起きるできごとはわれわれの自然な本能に反する。事物が存在するには理由があり、それを引き起こした正当な原因や、シャーロック・ホームズ的に理路整然とした説明があるはずだ。しかれば、宇宙にも原因、創造者、あるいは（アリストテレスいわく）「第一動者」が存在することになる。

この論考は近年、米国の哲学者ウィリアム・レーン・クレイグがあらためて光をあて、科学と数学をもって第二の前提をさらに発展させている。

レーン・クレイグは次のように論じる。まず、ビッグバンの存在は大多数の科学者が合意しており、これが「存在の始まり」なのは疑いない。ビッグバンは実際にあったできごとであり、そこから宇宙が始まった。

次に、終わりのない偶然の連続（原因の存在しない世界ではこれが必要になる）という考えかたは、無限という概念をよりどころにする。すなわち、常に「原因」あるいは「これの前」がもう一つあってはじめて、連綿と続くことができる。しかし無限の概念は矛盾があるとレーン・クレイグは述べる。ここで用いられるのが、「ヒルベルトの無限ホテル」と呼ばれるパラドックスだ。

無限に部屋があり、無限の客で埋まっているホテルがあるとする。ここへ新しい客がやってくる。ここで１号室の客を２号室へ、２号室の客を３号室へ、と一室ずつずれてもらえば、新たに来た人も加われる、というパラドックスだ。無限は無限ではなくなり、あてはまらなくなってしまう。

もう一つ、無限の集合体を考えてみると、数学的な問題にぶつかる。例えばハムスターが無限にいて、半分がピンク、もう半分がイエローだとする。イエローのハムスターは何匹いるか。無限にいる。ピンクは？　無限。全部で何匹？　無限。問題は、全体の下位にあたる集団が集団全体と同数になり、数学的には誤りになってしまうところだ。そこでレーン・クレイグはこうした「無限後退」の概念は（原因のない宇宙のように）現実世界においては意味をなさないと考える。

こうした行き詰まりを考えると、宇宙論が論理的に成り立つにはただ一つ、宇宙は何かの理由があって引き起こされたと考えるしかない。人間はいまだ、何の信仰でもいいが神の存在ひとつ論証できていないかもしれない。だがこれが「第一動者」、あるいはビッグバンを起こした存在の証明だといえないだろうか？

フロイト

父なる存在

人はいつまでたっても大人になりきれない。みな心の中に不安で心もとない、子どもの自分を抱えている。法を無視した野蛮な世界に、容赦も手加減もしない自然に、そのすべてを仕組んだかのような人や世界のすべてに、ただおびえている。私たちはみな、手をつないでくれる人のいない、あるいは「大丈夫、心配しなくていいよ」と言ってくれる親のいない子どもなのだ。

後世に多大な影響を残したオーストリアの神経科医、ジグムント・フロイトは、人間はみなこの満たされなさに突き動かされ、自分を守ってくれる父親の像をつくり出すのだと考えた。自分のために存在する、全能で超越した親。それを人は神と呼ぶ。

フロイトいわく、子どもはみな無防備で弱い存在だが、うまくいけば父親のもとに身を寄せ助けてもらえる（現代版にするならば、男性を意味する「父」の代わりになる保護者に置き換えてもいい）。大人になるにつれ、私たちはこの父親も自分と同じく過ちをおかすのだと知る。父にも解決し得ない物事があるのだ。それでも、見守ってもらう必要があることは変わらない。

遠い昔、人間は自分たちが無力なのは自然の力のせいだと早いうちに悟った。冷たく、容赦しない、過酷な自然の力だ。そこで自然に人間の属性を重ね合わせた。自然を神として扱い信仰の対象にし、「その力の一部を奪える」と考えた。気まぐれで残酷な森羅万象を操れるという誤った意識を投影させた。病が癒されるよう祈り、天候の回復を願って動物を犠牲にし、死を遠ざけようと偶像に歌を捧げた。

だがそれではかなわなかった。もっと別の、より強い、統一された神が必要とされたのだ。次のような、父とまったく同じ役目を果たしてくれる神が。

(1)　自然の脅威を追い払ってくれる（「大丈夫、神様が何とかしてくれるから」）
(2)　苦難に立ち向かう術（すべ）を教えてくれる（「苦しみは魂を清め、神様のもとへ連れていってくれる」）
(3)　苦しみを乗り越えた先に報いを与えてくれる（この場合の報いはアイスクリームではなく天国）

宗教はもっとも古くからある願望実現の形だ。人間は「無力であるがゆえに父にすがらなければならなかったが、今度はさらに強い父なる存在を必要としている」とフロイトは記した。宗教は死への不安を取り除き、自然を「知性の意図」とみなし、正義実現への願望を万物に向ける。善は報われ、悪は罰せられると約束されているのだから。すべて解決する。父が何とかしてくださるのだから（ここでも）。

興味深いのは、フロイトは「宗教上の教義の真理値を評価」せよとは主張せず、なぜ宗教が広く支持され、人は宗教に強くすがるのかについて精神分析の観点から説明すべきだと考えた点だ。世界に数ある宗教のどれか一つが正しいとしても、フロイトからすれば、信仰する人々の多くが人生の無慈悲に対するなぐさめとして宗教をとらえている事実は揺るがない。

ペイリー

偉大なる設計者

森を歩いていると、不思議なものが目に入った。木の枝と葉でつくったノートルダム大聖堂のミニチュアのようだ。あなたなら、どういうわけでこんなものができたと考えるだろう？　落ち葉や小枝が風の気まぐれで吹き寄せられて、偶然できたのだろうか？　大勢のアリたちが才覚を発揮してつくり出した？　あるいは知性ある作り手、設計者が手がけたとみなすのが一番あり得るだろうか？

18世紀の英国の神学者ウィリアム・ペイリーは神の存在をめぐり、目的論的議論を試みたことで知られる。ペイリーが使ったのは時計の出てくる比喩だ。ある人が歩いていて落ちている時計を見つけたら、それを作った職人がいると想定するはずだ、とペイリーはいう。ただの偶然や天候の気まぐれが作用して、そのような精巧な物体を創造するのは不可能だろう。知性ある者の手がなければできないはずだ。

この類推は宇宙にも広げられる。この世界は目もくらむほど複雑だ。天体は重力によって弧を描き、生態系は壮大なスケールで相互に関連しあい、原子がイオン結合したりミトコンドリアがエネルギーを生成したり、実に精巧に機能している。

ペイリーのたとえは問いかける。知性ある設計者あってこそ精巧な何かがつくられるのであれば、この精巧で入り組んだ世界にも同じことがあてはまるのではないか？　本には著者がいる。芸術には作り手のアーティストがいる。デザインにはデザイナーがいる。

この「何かの目的や設計から導き出す推論」を目的論的推論というが、これはアブダクションによる推論の一例だ。アブダクションによる推論とは、明らかにこうだよね、といえる妥当な仮説を導き出すことをいう。問題や言説に対し、ごくシンプルで筋が通った答えを考え出す推論法だ。

複雑な事象には意図的な設計があるはずだという自然な推論を見直すには、意識的な逆の発想が必要になる。原野に落ちていた時計と同じく、この世界は実に複雑だがきわめて精巧に調整された仕掛けで構成されている。そんな世界には知的設計者がいるに違いない。そう、神の存在だ。

ヒューム

悪の問題

あなたは今から世界の創造に取りかかる。両手をパンパンと払い、袖をまくり、仕事を始める。まず、草木を茂らせ、緑あふれる庭園をつくる。空にはまばゆいばかりの銀河を散らす。みごとな夕日を用意し、羽を持たない二足動物をつくり、美しいシンフォニーを奏でる。ここまでは上出来だ。いいぞ！

いったん休んで目が覚めると、あなたは不機嫌だ。腹立ちまぎれに、疫病、飢餓、戦争、死を世界に放り込む。たちまち暗黒の世になる。

さて、この世界の悪をめぐり、究極の責任は誰にあるのだろう？　いわゆる「悪の問題」である。

悪の問題は古代ギリシャのエピクロスの時代（269ページ参照）にまでさかのぼるが、これを詳しく論じ、広く議論されるようにしたのは、スコットランド出身の啓蒙思想家、デヴィッド・ヒュームの功績によるといっていい。

ヒュームは次のように問いかけた。もし神が何でもでき（全能）、すべてを知りつくしている（全知）のなら、世界にはびこるおぞましく不当で途方もない悪に対し、よくて目をつぶり、最悪の場合はそれを生み出してさえいる神が、なぜあらゆるものに対して慈愛に満ちている（完全な善）などといえるのだろう？

すべての人を愛すると公言する神が、なぜホロコーストが起きるのを許したのか。恐ろしい火山の噴火のどこに善があるのか。いつくしみ深い神がなぜ、なすすべもなく徐々に衰弱し、飢えて死んでゆく子象をこの世に創造されたのか。ダーウィンはかつて、寄生バチが宿主を食いつくす残酷さを目の前にして神への信仰心を失ったともいわれる。

こうした指摘は、神にも限界があると考えれば成り立つだろう。もしかしたら神は救いたくてもできなかったのかもしれない。あるいは知らなかったのかもしれない。しかし神が真に全能であるならば（主要な一神教はそう位置づけている）、神に責任があるのでは？

悪は自然悪と道徳悪の二つに分けられる。地震、疫病の流行、寄生生物など、自然災害や過酷な自然現象が自然悪、拷問や殺人など人間の自由意志によりもたらされるのが道徳悪だ。どちらにも疑問がわく。

自然悪についていえば、なぜそんなに欠陥の多い世界を創造するのか。道徳悪に目を向ければ、なぜ何をしだすかわからない不安定な自由意志を持つ人間を創造したのか。ここで立ちはだかる疑問は、古典的な有神論（キリスト教、イスラム教、ユダヤ教）の教義において、神が全能である点だ。神が望みどおりに何でもできるのであれば、世界をこのようにつくらずともよいはずではないか。ということは、神が悪を望まれているのだろうか？　人間が何をやりかねないか十分わかったうえで、ともすれば過ちをおかしがちな、迷える人間を意図的に創造されたのだろうか？

この問題提起に対し、「神義論（弁神論）」という議論が大別すると三つの答えを提示している。まず、悪はわれわれ人間の（弱い）自由意志がもたらしたにすぎないとする主張。次に、人間に知恵を授けたり思いやりを示す場を与えたりするなど、悪にも意義があるのではないかとする説。三つめが、これが「可能なかぎり最上の世界」であるとすることが神の本質であり、人間はいずれ神の意図した計画を知るだろう、という議論だ。

デカルト

神の存在証明

Perfection (n)
1. Ideal
2. Faultless
3. Must Exist

論理学の学者が壇上に現れ、朗々と響く声で聴衆に問いかける。「この中に、三辺からなる形を持つ者はいるか？」最前列にいる人物が手を挙げる。学者は派手なしぐさで腕を振り上げる。

「アブラカダブラ！　あなたに三角形を与えよう！」

聴衆は口々に不満をつぶやき、盛大に興ざめしたのだった――。

17世紀、フランスの哲学者ルネ・デカルトは、さらに壮大なスケールで同じ技を試みた。神の存在証明だ。

デカルトは感覚に基づく真理はすべて疑わしいと考え、根拠によってのみ証明されうる真理の確立を追求した。例えば、もしかしたらこの一年ずっと幻想のなかで生きている可能性もあるではないか。目にしているものが実はすべて、コンピューターのシミュレーションだったら？　やはり確かな根拠あっての真理でなければ、というのがデカルトのスタンスだ。

デカルトの考察は「存在論的証明」と呼ばれる。「アプリオリな証明」（見聞きした経験ではなく、理論による推論をもとにした証明）で「論理的真理」を用いて神の存在を証明する方法だ。

ここでは、論理的真理を「定義上、当然であるとされる真理」とする。例えば「雌のキツネ（female fox)」といえば、「雌ギツネ（vixen)」を指しているのは「論理的に真実」だ。「独身男性（bachelor)」といえば、必然的かつ論理的に「未婚の男性」を意味することになる。

デカルトの主張は、人間はみな「完全なる至高の存在（神)」という観念を頭の中に持っている、とする大前提があって成り立つ。そのような存在は、実際に存在しなければ完全たり得ない。完全なる神が観念にすぎず、実際には存在しないのであれば、「完全」ではないはずだ。三辺を持たない三角形が存在しないように、存在しないことには完全なる存在はあり得ない。

この論証に巧妙さがあるのは確かで、米国の哲学者アルヴァン・プランティンガは「一見、言葉の上でのごまかしか言葉の魔法の類にみえる」と評している。英国の哲学者バートランド・ラッセルはあるとき自転車に乗っていて、ふと「おお、神よ！　そうだ、存在論的証明は正しい！」と叫んだという。

だがほどなくその誤りに気づいたとしている（その内容は複雑きわまりなく説明に多大な労力を要するため、ここでは割愛する)。ただし、優れた知性をもつ彼だからこそ気づいたのかもしれない。

フォイエルバッハ

人にかたどられた神

心理カウンセラーなどが用いる「エンプティ・チェア（空の椅子）」と呼ばれる技法がある。空いた椅子と向き合うようにクライアントを座らせ、頭の中で想像した相手や自分自身に対して自由に語りかけてもらうというものだ。例えば過去の自分になんと声をかけたいだろうか？　夫に対して言いたいことは？　あるいは中学のときにいじめてきたあいつになんて言う？　このように内面を客観化する行為は、人を癒す大きな力を秘めている。

もし、人間がこの「空の椅子」を2000年にわたってやっていたとしたら、どうだろう？　私たちの信仰や宗教が、実は自分たち人間のありかたを投影し解釈したものだったら？　19世紀のドイツの哲学者、ルートヴィヒ・フォイエルバッハが主張したのがこの説だ。

人間であることの重要な要素は「種の意識」にある、とフォイエルバッハは考えた。それぞれが個別に孤立した個人として日々の生活を営むだけでなく、大きな力をもつ人類の一員として自身をとらえる立場を意味する。人類が全体として成し遂げてきたことや発揮してきた力（目覚ましい、よいものもあれば、おぞましくひどいものもある）を意識し、それらと自身との関連性に誇りを抱いたり打ちのめされたりする。

こうした認識は、無力感や自分を無意味に感じる感覚、自己嫌悪をともなう。他の人々はすばらしい功績を残してきたのだと実感する。でも、自分は何をしてきただろう？　マーティン・ルーサー・キングの勇敢で気高い行いに、軟弱でスケールの小さい自分を痛感する。アインシュタインのような天才を思うと、自分は愚かだと感じる。フローレンス・ナイチンゲールの精力的な活動とくらべると、家でごろごろしている自分が恥ずかしく思えてくる。人間という種を意識すると、人として平均的な人生もいかに凡庸かが身にしみる。

だからこそ、人間は神という型に人間を反映させている、とフォイエルバッハは考えた。その昔、人間はさまざまな神をつくり出した。戦いをつかさどる神、豊穣の神、知恵の神など、いずれも自分たち人間の「種の意識」を投影した、あるいは人間の姿で表象したものだ。人間は種としての人間全体の偉大さを客体化した。人のかたちに神をつくり出したのだ。

かくして、個々の人間は安心し、自身に意義を見いだし、誇りをもてるようになった。人間の至らなさも、形而上の存在と対比させるとそこまで際立つわけでもない。神は「空しさと孤独という陰鬱とした感情」を癒す存在となったのだ。

フォイエルバッハは「無神論者」と呼ばれることを全面的に受け入れはしなかったものの、来世や霊魂のように宗教が主張する形而上学的な概念は明確に否定した。迷信的な信仰を捨てれば、人間はみずからを心から賛美できるはずだ、とするのが彼の立場だった。彼の提唱する「人間学」は、今でいう「人間主義」だ。

心理カウンセリングでは、悩める人にとって「空の椅子」がおおいに役立つかもしれない。だが人間はみずからをあざむいてはいけないとフォイエルバッハは警告した。そこには誰もいない、空の椅子には違いないのだから。

パスカル

神の存在に賭ける

元手なしで大金がもらえるチャンスがあったら、賭けてみようと思うのではないだろうか。ふた言三言唱えれば永遠の楽園へ行けるなら、いい話なのではないか？

17世紀のフランスを生きた哲学者、ブレーズ・パスカルはそう考え、だからこそ人間は神の存在を信じるべきであると説いた。

パスカルの賭けと呼ばれる有名な議論では、ゲーム理論を使って神の存在は信じるに値すると論じていく。

選択肢は二つある。一つは「神の存在を信じる」、もう一つは「神の存在を信じない」だ。

(1) もしわれわれが神はいると信じ、実際に神が存在するとしたら、われわれは永遠の命と天国という楽園が得られる。神はいると信じたが、いなかった場合は何も起こらない。人間は死んで終わるだけだ。

(2) 神はいないと考えたが実は存在した場合、よくて虚無という永遠の中で朽ち、悪ければ地獄で終わりのない責め苦を受ける。神はいないと考え、実際に神がいなかったとしても、やはり何も起きない。神はいると信じたがいなかった場合とまったく同じ結果だ。であれば何の損がある？　神がいる方に賭ければいいではないか。どちらにしてもその方が得だろう。

ゲーム理論や確率モデルによれば、賭けの「潜在的リターン」を損失に対して大きくすれば、賭けの良し悪しが判断できるとされる。神が存在しない可能性がゼロにはなり得ない（論理として不可能）かぎり、たとえごくわずかでも「永遠の楽園」という潜在的リターンの可能性が増すのなら、賭ける意味があることになる（賭けの世界では「期待値」といわれる計算）。

つまるところ、パスカルは「失うものは何もない、得るものは無限大」といっているわけだ。何も失わずに天国が手に入るチャンス！

パスカルの賭けについてあまり知られていないのが、信仰をもっていると現実の世界でも恩恵があるとパスカルが考えていた点だ。生きている幸福感が得られたり、居場所があると思えたりすることを指す。

そんなものは真の信仰じゃない、と反論したい人もいるかもしれない。パスカルが言葉をつくして返した答えは、「本物になるまでそのふりをすればいい」だ。礼拝にあずかったり祈りを唱えたりして、自分は信仰をもっているんだというふりをしていれば、いずれそれがあたりまえになり信仰が身につくという。

というわけで、神の言葉を唱え、歌い、夜ごと神に祈りを捧げよう。毎日数分で、古今を通じて最強の賭けに加われるのだ。

マルクス

宗教は民衆のアヘン

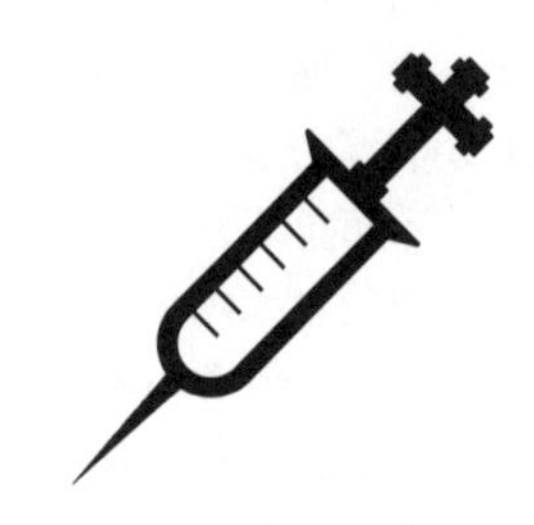

小さな子がむずかったり、怒ったり痛がったりしたとき、昔ながらの対処法が気をそらすことだ。例えば「見て！　あのきらきらするもの、何かな？」と声をかけてみたりする。実は大人でもそう違わないのではないだろうか。大人はそう簡単に注意をそらされたりしない、といえるだろうか？　マジシャンが簡単に観客の目をごまかせるところを見れば、そうでもないことを示唆しているはずだ。カール・マルクスも同様に考え、宗教は目くらましの最たるものだと論じた。

マルクスは、組織化された宗教は支配階級（ブルジョア）が労働階級（プロレタリアート）を現状の地位にとどめておくための手段だとみなした。

そのからくりには二つの段階があるという。まず、おとなしく従っていれば天国行きが約束されると説き、同時に、反抗し異議を唱える者を地獄へ落とすと脅す。

次に、宗教は労働者階級をおとなしくさせておく麻薬（アヘン）のように作用する。すなわち、労働者階級が苦痛を感じない状態にすることによって、自身がおかれた哀れな境遇に満足させるのだ。歌い、香をたき、祈りを唱えていれば、彼らは世界の秩序が実はきわめて不公平である事実に疑問を抱く暇などない。あるいはそんな疑問を口にするのははばかられる。

マルクス自身、のちのレーニンほど宗教を痛烈に批判したわけではない。ただマルクスは人間が服従の手段として「宗教をつくり出す」と考え、「民衆にとって幻想にすぎない幸福としての宗教を廃絶することは、真の幸福を求める要求」であると述べた。つまり、神の審判という観念や、「富める者は城の中に、貧しき者はその門に」（賛美歌「すべてのものが輝かしく美しく」より）の概念を安易に増長する賛歌を民衆が手放せば、人間はようやく自身に、そして世界の不正に目を向けることができる、というのだ。

いずれ手に入る幸福や永遠の喜びが天国に存在しないのなら、死や貧困、劣悪な環境の工場やディケンズの時代の救貧院の惨状に地上で耐える意味がどこにあるのか。宗教を受け入れることは、自身のよりよい暮らしを否定することになる。

信仰が大勢の人に安らぎやなぐさめ、意義をもたらしている事実に疑いの余地はないが、そこにどれだけの犠牲が払われているのかとマルクスは問うている。

バークリー

存在するとは知覚されること

森の中で木が倒れ、まわりに誰も聞いている人がいないとき、音はするのだろうか。人も動物も誰も聞いていない場合、音の意味は何だろう？　そもそも、聞かれることのない音を想像できるだろうか？　目にふれることのないものは？　ちょっと思い描いてみてほしい。何が頭に浮かぶだろう？　どんな見た目をしているだろう？

18世紀アイルランドの哲学者、ジョージ・バークリーはこのように考え、観念論と呼ばれる立場をとった。

哲学者は時に妙なところへ行きつくものだが、観念論もその一つだ。こんな課題から始まる。自分自身または友人に対して、意識の外で物が存在できることを証明せよ。

こう問われたら、まず手近にあるものをふれたり指さしたりして、「ほら、ここに存在しているでしょう？　こうして持ち上げたり、蹴ったりできます」と言うかもしれない。

これだけでは十分な証明にならない、とバークリーは考えた。確かにいろいろな方法で物を知覚できるが、それだけでは哲学者のいう「客観的事物」を証明できない、という。自分がアヒルをこの目で見ていても、アヒルの存在の証明にはならない。確かなのは、アヒルに見える物を知覚しているというだけだ。

人間の知識は自分が経験している物事に限られるのが常だ。それを超えることはできない。「自分にはそう見える」との留保をつけずに言い切れることは存在しない。幻覚という現象ひとつとってみても、「物事がこう見える」と「物事がこうである」はイコールではないといえる。自分と自分がアヒルと知覚しているものの間には、埋められない隔たりが必ず存在する。

バークリーはこの点を明確に伝えるべく論法を編み出した（その名も壮大に「マスターアーギュメント」という）。この議論では、宇宙に存在する万物を支える、誰にも知覚されていない事物を思い描くよう促す。が、これは不可能だ。

事物を考えるとき、私たちは必ずそれまでの経験を動員する。木が倒れるところを想像できるのは、木を目にした経験があるからだ。では、知覚可能な性質を一切もたない物体は想像できるだろうか？

「外的事物」の概念を頭の中で形にしようとすると、どんなものになるだろう？筆者の場合、ぷにぷにした灰色のかたまりが思い浮かんだ。マシュマロに近い。だがそれはマシュマロであって、知覚されていない事物ではない。あるいは理科室に貼ってあった原子模型の図、あれを思い浮かべた人もいるかもしれない。だがそれは図であって事物ではない。

「事物」については考えること自体ができない。私たちはすでに経験した物事に限ってのみ、考えたり理解したりできるからだ（これを「経験主義」という）。あたりまえだが、そもそも経験していない事柄は経験できない。

バークリーは最後に、存在するものが二つあるとだけいえる、と締めくくる。経験する主体としての自分と、自分が経験する観念だ。どんな点においても、実体や事物が自分とは独立して存在するとはいえない。これを「観念論」と呼んでいる（この「観念」は idea であるため、本来「観念論」は idealism より idea-ism がふさわしい）。

もし誰かが哲学なんて無意味だと言ってきたら、「きみは私に知覚されてよかったな」と返してやるといい。あなたに知覚されなければ相手は存在し得ないのだから。

ヒューム

奇跡

幽霊を見たと誰かに言われたら、あなたはどう応えるだろうか。そうか、とうなずいて、まあ普通にあり得ることだ、と返すだろうか？　それとも、それは何かの間違いだろう、ほかに何か説明がつくはずだ、と考えるだろうか？

デヴィッド・ヒュームは1748年に発表した『人間知性研究』の中の有名な「奇跡論」で、後者の立場をとった。

ヒュームは奇跡を自然法則の侵犯であると定義する。空飛ぶほうき、いたずらをして回るポルターガイスト、死者の復活など、いずれも自然法則に反し、ゆえに奇跡とされる。

今日私たちが知る自然法則は、人類が長年積み重ねてきた幅広い経験から確立された。数世紀かけて積み重ねてきた科学的な手法、千年にもおよぶ人間の観察によって、証明され支持されてきたものだ。世界じゅうの無数の人々が、日々のさまざまな瞬間に、この自然法則を目撃したりあらためて確認したりしている。では、親戚のおばさんの関節炎が「奇跡的」に治ったとき、法則は覆されたことになるのだろうか？

　ヒュームの奇跡論で検討するのは蓋然性の度合いだ。奇跡的に思えるできごとに遭遇したとき、私たちには二つの道がある。一つには、なんらかの間違いか説明のつかない事態として退ける道。もう一つは、世界を理解するための体系全体を新たにつくり直す道だ。こちらは少々大がかりな仕事にみえる。

　奇跡の話はもう一つの側、自然法則とくらべると常にごく少ない少数派になる。浮遊する精霊を見た人より、重力を体験している人の方が多いし、魔法の道具や言葉より、薬や白血球の力で病気が治った人の方が圧倒的に多い。

　定義上、奇跡は圧倒的な重みをもつ通常の経験と対比して検討される。そうでなければ「奇跡的」とはいえない。奇跡とは科学を曲げる現象だ。ゆえに、もし奇跡を目にしたのなら別の説明を追求するか、きわめて稀だが科学の法則の側を書き換えて合わせるかしなければならない（219ページのパラダイムシフトが後者にあたる）。いずれの場合も、そうすれば奇跡は奇跡でなくなり、人間が理解した世界の事象に加わる（アインシュタインの相対性理論しかり、マクスウェルの電磁波しかり）。

　ヒュームは奇跡の話が退けられる場合の理由を探った。目撃された奇跡が矛盾する、目撃例が一度きりかごく限られている、少なからぬ目撃者が「疑わしい人物」で何か魂胆がある可能性が考えられる、などだ。こうした考察はどれも今日の法廷でも検討されている。疑わしい物事に出会ったら私たちも同じように対処すべきなのだ。

　というわけで、次に友人から幽霊を見たといわれたら、何と答えるだろう？「それはすごい！」だろうか？　それとも冷ややかな視線を向けて「君の証言はあらゆる自然法則に照らし合わせるとあり得ないとみなされるため、退ける」と告げるだろうか？

　率直なところ、これでヒュームに友人がいたのは驚きではある。

スピノザ

汎神論

宇宙がもつ根源的な力は、私たちが普段あたりまえと受け止めるあまり、きちんと評価していない現象の一つに違いない。あらゆる事物に張りめぐらされ、構造を支える格子のような力。万物はそんな力によって結びつけられ、つながっているのかもしれない。人間もまた、深海にすむ魚や音波、遠い銀河の彼方にある星々と同じく、この格子の一部にすぎない。われわれはみな、この力によって一つに統合されている。

この宇宙観が、バルーフ・デ・スピノザが唱える一元論への導入にふさわしいだろう。世界のすべては一つとみるのが一元論だ。

スピノザは啓蒙時代のオランダでデカルトを受け継いで合理主義を唱え、その考察の多くはデカルトの思想を完結させようとした取り組みとみることができる。デカルトは世界を精神と物体（身体）、そして神の三つの要素に分けられるととらえた。神は世界の本質の基礎になる、独立した不可欠な存在だ。

一方スピノザは、人間が何かの事象を知性によって理解できるとしたら、それはなんらかの形で自分たちと関連があるに違いないと考えた。人が理解できるのは自分がその一部である事象に限られる。余剰次元を思い描いてみるようなものだ。正確に思い描くのは不可能であり、人はケーキだの台形だの意味不明な長い単語など、そぐわない類推に解を求めようとする。したがって、精神や神といった「独立した実体」とされるものを理解したければ、われわれもその一部になるしかない。

これを解く唯一の道とスピノザが考えたのが、人間の思考も含むあらゆる自然を同じ本質的な実体とみなす立場だった。この実体はさまざまな形状をとるが（スピノザはこれを様態と呼ぶ）、本質は同じだ。つまり私の個人的な意識も、アリの感覚も、光の運動も、水一滴も、ケンタウルス座アルファ星にいる宇宙人も、すべてこのただ一つの実体の「様態」になる。これが一元論の立場だ。

アインシュタインはスピノザの考察を好んだ。その哲学が現代科学の多くを見通していたのに加え、スピノザはこの一元論的な自然はすなわち神そのものであるとしたからだ。スピノザはこれを「神即自然」と言い表し、一切の事物が本質的に一つであると理解することが「神への知的愛」であるととらえた。

宇宙のしくみを自分のちっぽけな視点から考えてみればみるほど、人間はその精神を神すなわち自然と一体化できる、とスピノザは考えた。根源的な力が壮大なのはそのためだ。このことを深く考えてみるほど、物事はより抽象化され、私たちはより小さな存在に見えてくる。小さく狭い視点から物事を見てしまうのは人間の弱い自我のバイアスにすぎず、これが人間を他の事物と切り離している。

このように有限で不完全である点が人間を他の一切と分けているとスピノザは考えたのだが、私たちが科学に学び、年月を重ねて物事について考えを深めれば深めるほど、あらゆる事物が結びついて見えてくるのはすばらしいことだ。断片から全体が見えるようになってゆく。そうして振り返ってみると、すべては結局ばらばらではなかったのだと思えるようになるのだ。

公案

禅問答

むかしむかし、禅僧が修行僧にこんなことを語った。「あなたが持っているものがあれば、私からあなたに授けよう。あなたが何も持っていなければ、あなたからそれを取り上げよう」

どうだろうか。もう一度読み返して、何をいっているのか考えてみてほしい。ロジックが破綻した荒唐無稽な話だと決めつけず、向き合い、受け止めてみよう。構文を読みとってみて、なんらかの答えが浮かんでくるだろうか。正しい解答ができたからと評価されたり称賛されたりもしないし、間違ったから罰せられたりもしない。どんな答えであっても、すべてあなた次第だ。

これは公案、いわゆる「禅問答」の一例だ。

仏教には、発祥の地である東洋にもその後伝わった西洋にも数々の宗派や思想があるが、核となる教えの一つは、私たちの考える真実が実は錯覚や空想にすぎないと悟ることにある。仏教にはいろいろな瞑想や儀式、修行があるが、どれも惑いを解き、自我を手放し、世俗の欲や苦悩を超えた心の安寧を得るためにある。公案もそのための課題の一つだ。

公案にはさまざまな種類の作用がある。逆説的な問いや謎かけで、われわれが思う「真実」の偽りに光をあてる場合もあれば、沈思黙考を通じて自己の発見や悟りに必要な静けさと空間をつくり出す場合もある。公案の迷宮で思考をめぐらせるうち、それまで気がつかなかった意味にたどりつくことはままある。公案に答えはあるが、答えを見つけるというより創造するという方が近い。

釈迦（しゃか）は弟子や後に続く者に対して直接心を入れ替えさせようとしたわけではなく、涅槃（ねはん）に達するための八正道（はっしょうどう）と自身の教えをまず実践せよ、あとはそれからだと説いた。果たしてその実践は往々にして成就し、現在に至る。悟りを得るための仏の道は常に実践、行動、儀式を通じてこそなのだ。

というわけで、実際に公案に挑戦してみよう。時間と空間を設けて禅の問答にじっくり取り組んでみると、何かが得られるかもしれない。

あなたの父母が生まれる前の本来のあなたはどんな面目をしていただろう？

何もできないとき、何ができるか？

風の色は何色か？

考えてみて、どう感じただろう？　わかりやすい答えを放棄し、論理的な根拠の上に立てないことをおもしろいと感じるだろうか？　それとも難解で困惑させる問いにいらだちを覚えるだろうか？　いずれにしても、公案は実践的で悟りへ導く力がある。禅僧にとっても一般の人にとっても、得るものがあるだろう。

文学と言葉

　優れた哲学を伝える文章は時として文学から生まれる。シェイクスピアからサイエンスフィクションまで、文学はとっつきやすいながらきわめて深く人間のありかたを探求する。ドストエフスキーとカミュ、ディケンズとマルクス、あるいはオースティンとボーヴォワールの間に一線を引いて区別するのは、哲学の観点からは意味がない。

　言葉には強い力があるゆえ、哲学者らが言語の何たるかをさまざまな角度から分析し探ろうとするのも当然だろう。言葉は人間の思考を浮かび上がらせ、おそらく明確にもする。

　言葉を使い、哲学にもすくいとれない真理を探求するのが文学だ。

キャンベル

古今東西の物語に共通する構造

英雄はまず、導き手の声に告げられて故郷の村を離れねばならない。それから多頭の怪物を倒し、東洋の龍を退治し、橋番の難問に挑み、万能の霊薬を飲みほす。生まれ変わった彼は村へ戻り、英知を身につけた英雄として人々を守り導く。

米国の神話学者ジョーゼフ・キャンベルは、古今東西のおもな神話や物語はみなこうした構造をなぞっていると指摘した。キリスト、ブッダ、ムハンマド、モーセの生涯の物語から『指輪物語』のフロド、「スター・ウォーズ」のルーク・スカイウォーカー、「ライオン・キング」のシンバに至るまで、すべて同じパターンを踏襲している。キャンベルはこれを「出立（分離）」、「イニシエーション（通過儀礼）」、「帰還」の三つに分けた。

キャンベルは1949年、比較神話学と比較宗教学の研究を下敷きにした『千の顔をもつ英雄』（早川書房）を発表。膨大な量の神話や歴代の物語を読み込んだキャンベルは、多くに共通するテーマやモチーフがあることに気づき、物語は基本的に次の三段階の構造からなると分析した。

（第一段階）出立（分離）

たまたま現れた魔法使いや賢者、精霊、言葉を話す動物などによる「冒険への召命」を指す。召喚された英雄が単調で平凡な世俗の日常から引き離され、探求の旅に出る導入部だ。「ハリー・ポッター」でハグリッドが扉をたたく場面、「バットマン」でブルース・ウェインが両親を殺される場面、あるいは釈迦が四つの城門を出て人生苦を目にし、恵まれた環境から離れて出家修行を志す四門出遊がこれにあたる。

（第二段階）イニシエーション（通過儀礼）

探求の旅における「試練の道」を指し、戦闘、誘惑との闘い、不思議な力が登場し、最終的には悟りに至る展開。映画でいえば、CGを使った戦いの場面で主人公が窮地に追い込まれたあと、自分が持っていた思わぬ力を発揮して切り抜けるシーンだ。試練を経験する過程や試練を乗り越えたあとで、悟りを得たり、新たな知恵や心の鎮まりを手に入れたりする。英雄はここで変身をとげる。

（第三段階）帰還

目覚めた、あるいは力を得た英雄は、人々を導く王や預言者の立場につく。その知恵や能力は非常に価値のある、何ものにも代えがたいものとされる。探索の旅はここで「めでたしめでたし」と完結する。

主人公が探索の旅で出立、イニシエーション、帰還をたどる構造は、初期キリスト教で精神がたどるとされた「三様の道」に似たところがある。これは神との一致と信仰の経験を浄化の道（自身の罪の浄化または除去）、照明の道（瞑想や祈りによる観想）、最後に一致の道（愛による神と万物との合一）の三つの段階として説くものだ。

一種のバーダー－マインホフ現象（一度何かを認識すると、そのことが頻繁に目につくと感じるようになる認知バイアス。頻度錯誤）が働くのか、キャンベルの理論を知ってしまうと何もかもがあてはまるように思えてくるかもしれない。だからといってそうした物語の評価が下がるわけではない。私たちが紡ぐ物語は、幅広い人生の旅路を映し出す。私たちはみな、慣れ親しんだ居心地のいい家をいつか離れ、冒険や探索の旅に出なければならない。道の途中で現れるドラゴンやシスの暗黒卿は人生の試練の象徴であり、それに対峙してこそ私たちは変化をとげ高みへのぼることができる。試練なしには賢人たり得ない。物語とは端的にいうならば、人間としての生を存分に享受するための、おおいに楽しめる手引きといえるだろう。

ハクスリー

すばらしい新世界

ニュースの報道を見たあなたは言葉を失っている。なんたる不当。なんたる無情。よし、何か行動を起こさねば。……でも、今から好きな番組が始まるからちょっと後にしよう。明日は買いものに行くから無理だし……。でも、近々必ず！

ため息をひとつついたあなたは、反射的に薬に手を伸ばす。医者とカウンセラーからはあまり興奮してはいけないと言われているのだ。薬をのめば落ち着くだろう。

これがオルダス・ハクスリー『すばらしい新世界』が描く世界だ。

苦痛も悩みも争いもない社会があったとしたら、どうだろうか。あらゆる営みに科学や医学が介入し、不都合を排除すべく手を加え、一切の痛みを抜かれた世界。冒険より安全をよしとする世界。想像しづらいだろうか。

1932年に発表された小説『すばらしい新世界』（早川書房ほか）では、何かむしゃくしゃしたら「ソーマ」をのむ。モルヒネのような薬の一種で、いらだった気分を鎮め、無感覚におちいったような幸福感をもたらしてくれる。とはいえ、そもそもそんな薬もあまり必要ないかもしれない。

『すばらしい新世界』はフリーセックスの社会だ。愛や忠誠心など、強い感情は衝突を招く原因とみなされ、締め出されている。娯楽としてはテレビの進化形のような感覚映画（フィーリー）があり、色彩と音声が炸裂する。社会全体が催眠術にかかったように意識を奪われている。

この社会の住人たちは特定のものを好むよう条件づけられている。結婚と一夫一妻制は相手をめぐる争いが起きるとして排除される。考えたり夢想したりしないよう、書物は禁じられている。壊れたり使いづらくなったりしたものは捨てて、新しいものを買えばいい。修理するのは労力のむだだ。人生は手軽な快楽とささいな小事の果てしない繰り返しだ。すべては雑談であり、熱い議論ではない。

ハクスリーが描いた未来像は、遠い世界だろうか？

現在、先進国といわれる世界では1割程度がなんらかの精神的な薬に依存している。ドーパミンの放出を促す電子端末を誰もが携帯し、気を取られる。スマートフォンなどの端末はいわば手のひらに収まる「感覚映画」であり、自分たちを取り巻く不公平や不平等や凡庸さに目を向けずに、画面をタップして「いいね」を押していればいいとばかりに私たちの気をそらす。靴がだめになれば、修理してもらえる場所を調べるより新調する。離婚はありふれた選択になり、刺激をあおる多様なポルノが過去には考えられなかったような規模でごく手軽に手に入る。

そこで主人公は問いかける。われわれはどんな世界を望むのか。

一方は争いや葛藤があり苦悩するが、英雄的精神やシェイクスピアや愛もある世界。他方、軽い雑談とモルヒネ様の薬が幅を利かせる消費社会だが、快楽とお手軽な性と安定した幸福がある世界。あなたなら、どちらに惹かれるだろうか？

ベケット

ゴドーを待ちながら

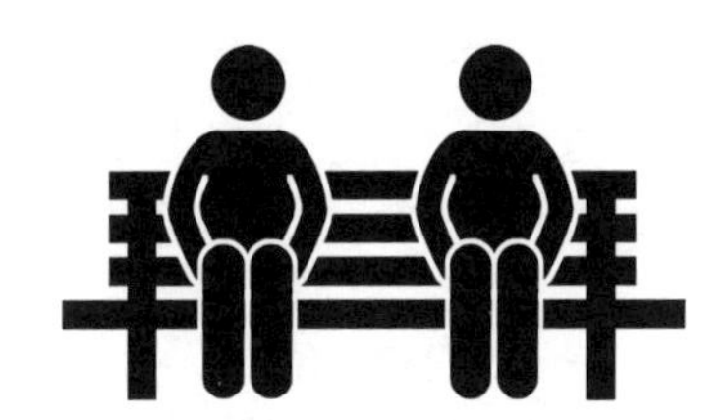

親しい人と長旅をともにしたり、空港で何時間も待ち時間があったりして、時間つぶしと気晴らしになることを何か考え出した経験はないだろうか。スマートフォンにも飽き、本を読むのにも目が疲れてきたら、どうするだろう？　何かを待っているとき、どんなことをやってみるだろうか？

アイルランド生まれの劇作家サミュエル・ベケットが1953年に戯曲『ゴドーを待ちながら』（白水社）で投げかけたのがこの問いだった。

『ゴドーを待ちながら』にはヴラジーミルとエストラゴンという二人の男が登場し、ゴドーという謎の人物と会うのを待っている。暴君ポッツォと召使のラッキーというキャラクターもときおり現れるが、ヴラジーミルとエストラゴンが繰り広げる会話で知られている芝居だといっていい。

評論家のヴィヴィアン・メルシエは『ゴドーを待ちながら』を「二度にわたり、何も起こらない芝居」と評したが、言い得て妙だ。二人はゴドーなる人物をずっと待っているのだが、その人は一向に現れない。言うなれば二人が宙に浮いたような奇妙な状態で交わす言葉を中心にプロットが展開し、劇はまるごと、人が別の何かを待っているときに繰り出す風変わりな思考や言動に終始する。

ヴラジーミルとエストラゴンは待っているあいだ、戯れにとりとめのない話をする。悪態をついたかと思えば、相手を気づかったりもする。どちらも互いを必要としているようにも見える。不条理と死への連想を加えた一種の道化芝居がある（一人がズボンの紐を使って首をつろうとするが、ズボンが下がっただけで終わる、など）。暇つぶしになるからというそのためだけに、二人は戯れに役を演じているようだ。「悪口をどなりあおう」と提案したかと思えば、次の瞬間は「今度は仲直りをしよう」と言ったりする。人生と人間関係をきわめてよく映し出している。

ベケットはカミュを好み、その不条理（62ページ参照）がこの作品に影響を与えていることは見てとれる。二人の登場人物が延々とゴドーを待ち続けるさまは、ひたすら岩を押して山頂を目指すシジフォスにも似る。「人生とはほかの計画を立てているあいだに起きるできごと」とジョン・レノンは書いた。私たちはそれぞれ自分にとっての「ゴドー」を待ちながら、人生のどれほどの時間をどうにかやりすごして生きているのだろう。

『ゴドーを待ちながら』を人生の意味を見つける模索の旅に重ね合わせることは当然できるだろう。待っているのは真実の愛か、解放、方向転換、宗教的な救世主の出現、あるいは死でさえあるかもしれない。人生とは、観念的ではかり知れない未来を待ちながら、日々かまけている型どおりの日常や道化芝居なのだ。そしていつのまにか幕が下り、終演を迎える。

オーウェル

『一九八四年』が描く「二重思考」

人は自分が論理的で分別のある人間だと思いたがるものだ。自分の信条や価値観は筋が通って一貫していて、正当であり、よく考え抜かれている。立ちはだかるものが現れたとしても、自分の立ち位置は守れて、ほかの人に主張を受け入れてもらえるはずだ。しかしこれはどこまで真実だろうか？

英国の作家ジョージ・オーウェルはそんな疑問を抱き、名作『一九八四年』（早川書房ほか）で「二重思考（ダブルシンク）」なる言葉を生み出した。

1949年に発表された『一九八四年』の設定は近未来の架空の世界で、それを三つの大国が治めている。物語の舞台はその一つ、オセアニアだ。オセアニアはディストピア的な全体主義体制により統治されていて、「ビッグブラザー」なる人物が指導者として君臨する。人々の生活をあらゆる面で監視、操作する政府機関の省がいくつかあり、なかでも不穏で印象深い（かつ未来を予知するかのような）のが「真理省」だ。ここではあらゆる客観的な真実、さらには「常識」までを巧みに書き換え、現行の体制や支配的地位についた党の方針に一致させる。

ここで登場するのが「二重思考」、すなわち「相反する二つの信念を同時に心の中に抱き、……客観的な現実の存在を否定し、かつその間も自身が否定する現実を考慮に入れる」ことだ。つまり二重思考において「事実」や「現実」は構築された現実に置き換えられ、それもまた明日にでもいかようにもつくり変えられる。明白よりもばかげた方を信じる。「常識」より主張された見解を受け入れる。ここでは戦争は平和であり、自由は隷属であり、無知は強さなのだ。

しかしながら、これは架空のディストピアにおけるあり得ない話、ではない。しかも哲学は罪がないどころか加担しているといっていい。今日では、「客観的な真実」や「普遍的事実」の類を否定するのが前提だ。それよりも人々は「自分が実際に体験した、生きられた経験」を語る。『一九八四年』で、支配する党の中枢にいる人物、オブライエンは主人公に次のように言い放つ。「君は誰もが自分と同じものを見ているはずだと思っている。だがね、ウィンストン、現実は外的なものではない。現実とは人の頭の中にしか存在しないのだよ」これはもはやオーウェルの創作世界の中だけの悪夢ではない。今日の標準となった語りではないか。現代の集団浅慮（グループシンク）である（この言葉もオーウェルに由来する）。

オブライエンのこうした語りを含め、一連の物語が暗に示しているのは、つまり「私たちの真実」も作られ、何かの影響を受け、もしかしたら押しつけられている可能性もある、ということだ。何らかの客観的なものさしや、きちんと独立した「嘘と真実」とのつながりを断ってしまったら、悪意をもって精神を支配してくる強大な権力者が都合のよい「真実」をでっちあげるのをどうやって止めるのか。真実が人間の操る道具のひとつになれば、力を持つ者が弱い者を支配するために用いる道具にすぎなくなってしまう。

私たちは板ばさみの状態にある。一方では、真実は客観的なものであるゆえ、他の誰かの言動や信念を間違いだと断じるか、あるいは（そんなことはあってほしくないが）間違っているのは自分だと認めるか。もう一方では、真実は組み立てられた構造物（「常識」やロジック、数字という真実を含む）であるとするのか。だがこれを受け入れるのなら、真実は何度でもつくり変えられることをも受け入れねばならない。それはきわめてオーウェル的な世界だろう。

カフカ

疎外感

何かが変だ、という感覚を味わったことはないだろうか。毎日が連続性のない、よくわからない矛盾したできごとの連なりのような感覚、といえばいいだろうか。あるいは突然、目の前の何かが現実ではないように感じられて、それでもまわりは誰もそんなそぶりを見せない、というような。もしくはすべてが破綻してわけのわからない感覚に陥る――きわめて奇妙な見覚えのない場所に一人でいるような。

この「疎外」の感覚を追求したのが、フランツ・カフカが1915年に書いた小説『審判（訴訟）』（白水社ほか）だ。

主人公ヨーゼフ・Kはある日、目が覚めると突然、罪状もわからず逮捕されていた。なぜ逮捕されたのか、理由は本人にも（読者にも）わからないまま展開する。得体の知れない不可解な法制度によって裁かれる男の物語で、人生が奇妙な夢であるかのような世界だ。

自分が何に評価され判断を下されているのかわからないような感覚を覚えるこ

とはないだろうか。線に沿って歩かなくてはいけないのに、その線がぐねぐね曲がったり形を変えたりしているような。もしかしたら何もなかったところに突然、規則や期待される行動ができていたのかもしれない。もしくは、誰も理解していない、そもそも誰も求めていない新しい言語や気取った言い回しを使わなくてはいけなくなったのかもしれない。そんな場では自分がまわりから切り離されたような感覚になるものだ。場違いなパーティーに来てしまったときのように。

『審判』には一貫性のないばらばらのできごとが連綿とつづられ、できごとはみな人生をよく映し出している。場面は裁判所、銀行、集合住宅、大聖堂など、都会の各所を転々と移り変わる。それぞれに独自の空気があり、往々にしてばかげたよくわからない規則がある。ほかの登場人物も得体が知れない。あるときつけこまれた女性が一転、つけこむ側に転じる。堕落してやる気のない検事もいれば、落ちぶれて自身の訴訟に執着する商人もいる。どの人物も外面だけを描写されていて、人間としての心理的な深みは描かれない。語りの中にときおり、唐突に性的な行為が差しはさまれる。

すべての要素があいまって、実に巧みに生を描き出す。日常への途方もない殴り込み。何でもないようにふるまっているが、ふと忍び込んでいる不条理。すべてがどこかおかしいという感覚、それなのに誰も自分が何をしているのか本当にはわかっていない感覚。どんな理由でどんな目論見があるのか見えないまま、この感覚にうわべだけ合わせている。見失った感覚。

サルトルやドストエフスキーと違い、カフカは作品の登場人物たちに、自身の疎外感についてあえて向き合って深く考えさせることをしなかった。それこそが、読む者に自分に結びつけて感じさせるゆえんだ。誰しも、日常を営む中で何かについてちょっとした違和感やずれを覚えることがある。しかし、いくら試みても、それが何なのかは自分でもめったにうまく説明がつかないのだ。

プルースト

無意志的記憶

カフェのレジで順番を待っていたあなたはふと、前に立っていた人の香水がふわりと香るのに気づいた。するとたちまち、何十年も前の祖母の家のリビングにいる自分を思い出す。同じ香水を祖母がつけていたのだ。

外を歩いていると、黄昏(たそがれ)時の空を背景に木のシルエットが目に入る。するとなぜか、若いときに異国の地で過ごした日々の記憶がよみがえる。理由はわからない。

動画をひたすら見続けていると、広告に切り替わる。流れてきたのは子どものころ、父親とよく観ていた番組でかかっていた曲だった。急に涙があふれだし、そんな自分に驚く。

そんな「無意志的（無意識的）記憶」を主要なモチーフの一つとして描いているのが、フランスの作家マルセル・プルーストが20世紀前半に書いた大長篇『失われた時を求めて』（光文社ほか）だ。

日本語には「持ってはいるが一向に読まない本」を指す「積読」なる言葉があるというが、本書をその筆頭に挙げる人も多いはずだ。膨大なページ数に加え、その構想と試みの点からも、実に壮大なスケールの大作といえる。存在を知っている人はおそらく多いし、途中まで読んだ人もいるだろうが、読破した人は少ないのではないだろうか。しかし完読した人はもちろん、少し読んでみた人にとっても、『失われた時を求めて』は現代の小説を読むのとはどこか違った体験をさせてくれる。

本作でもっとも際立っている側面の一つが、記憶をめぐる記述だ。プルーストは「意志的（意識的）記憶」と「無意志的（無意識的）記憶」を区別する。「意志的記憶」は思い出そうと意識して思い出される記憶（昨日の朝食は何だったか、など）で、「無意志的記憶」は思いがけずよみがえる記憶を指す。後者のインパクトは強く、ふとやってくるその衝撃に、まるで冷たい夕立に打たれたかのようにその場に立ちつくしさえしてしまう。

この小説の有名なひとこまに、マドレーヌと紅茶が出てくる挿話がある。紅茶に浸したマドレーヌを口にすると、「私」の心は過去に引き戻され、映画の場面が切り替わるかのように急に時空がゆがむ。その瞬間「ほかの意識は融けて消え」てゆき、突如、レオニー叔母さんが目の前に現れ、同じマドレーヌと紅茶を前にしている。「マドレーヌを目にした時点では、口にするまで何も思い出しはしなかった」との記述がよく表しているとおり、プルーストも多くの人と同じく、この心の動きをどうすることもできず、どういうわけでそうなったのか見当がつかない。無意志的な記憶の急襲というものを私たちはみな経験しているのだ。

歳月を重ねて生きていくにつれ、人生はまとまった一本の映画というよりは、一話一話の寄せ集めでできているといった方が近い気がしてくる。子どものころの記憶や若い日々の回想は、今の自分自身というより他人の記憶のように感じられる。そうしてわき出る「無意志的記憶」はいわば生まれ変わった人の幻影にも似ている。

プルーストの作品は多くの要素を含んでいるが、通底する哀感や郷愁の感覚はなかでももっとも共鳴を呼ぶはずだ。人生は移ろい、私たちは歩き続け、記憶の中の人々は本で読む見知らぬ誰かのようだ。

ロマン主義

自然を詩に表す

自然の中に身をおくと、深い喜びがわいてくる。空を舞う無数の鳥たちの群れ。いわし雲が浮かぶ空をピンク色に染めながら、刻々と変わる夕日の美しさ。波ひとつ立たない広大な湖の、息をのむような静寂。自然は私たちの内面に言葉では表しきれない何かを呼び覚ます。そこで人はそれを何かに重ねたり、たとえたりしようと試みる。なかでもすばらしいのが、詩で表されたときだ。

ロマン派詩人の信念はまさにここにある。彼らがつづる美しく飾られた流麗な言葉の下には、一考に値する哲学が存在するのだ。

19世紀に入ってほどなく、イギリスでロマン主義という運動を興したのが、ワーズワース、コールリッジ、シェリー、バイロン、キーツといった偉大な詩人たちだった。彼らには生い立ち、信仰、政治的立場などさまざまな違いはあれど、ここまで続いた啓蒙時代の科学的物質主義は行き過ぎだったとみる立場は一致している。ロマン派詩人たちは自然の純粋さ、超越性に答えを探したのだ。

少し前の世代にあたるルソーは、自然な状態にあるものはすべて純粋または理想であるととらえ、この見かたを信仰に近い形にまで昇華させた。社会そして近代世界の目論見はこの善きものを損ない、抑え込んでしまう。人生を味わい、喜びを見いだすには、この檻を破って自由にならねばならない。ロマン派はこの思想を取り入れて発展させ、そこから生まれた詩には感情を呼び覚ます自然の力がうたわれた。

ワーズワースは「すべての思考するものを駆りたて、万物を貫く精神」について書いた。人間は誰もが自然にふれ、自然を求めようとする側面をもっていて、それに対して自然も私たちを迎え入れてくれるととらえた。自然美がくれる喜びは私たちの魂に響き、この点からロマン主義にはプラトンの思想が息づいていることを感じ取れる。

プラトンは人間はみな内に魂を有し、それは私たちの外側にあるイデアの世界に属していると考えた（114ページ参照）。肉体的存在である人間と、完全なる形而上の世界とをつなぐ架け橋だ。魂は万物に備わる完全性を認識する力を与えてくれる。ロマン派も同じだ。ロマン派の詩人たちは美しさにふれる喜びを完全なる形而上の真の理想（イデア）と考え、とるに足りないつかの間の空虚な喜びとはみなさなかった。コールリッジはカントに傾倒し、カント同様、人間がこの理想を認識する能力には限界があると考えた。人生には科学では太刀打ちできない、何より大切なことがある。そこでロマン派の詩人たちは、叙情的な豊かな比喩と詩を用いてそれを表現しようとしたのだ。

言葉とは妙なものだ。神秘的な喜びにふれていると、言葉では到底表しきれないように思える。だがしかるべき人の、偉大な詩人の手にかかれば、つむぎ出された言葉は私たちを目指すべき場所へと連れていってくれる。他に誰も知る人のいなかった世界への扉を開いてくれる。

ラドフォード

フィクションの意味

シンデレラもフランケンシュタインのつくった怪物もハリー・ポッターのヘドウィグも、実在しないと私たちはみな知っている。どれもしょせんは架空のキャラクターだ。であればなぜ、私たちは物語の中で彼らのことを読んで心を痛めたり、怖がったりするのだろう？　すべては作り話だとわかっているのに、何が感情移入させるのか。なぜ、どのようにして、架空の話に本気の感情を抱くのだろうか。

これは「フィクションのパラドックス」として知られ、近年この件を考察したのが英国の哲学者、コリン・ラドフォードだ。

人類にほぼ共通するといっていい、フィクションに対するきわめて人間らしい情動的反応は「理性によらず、気まぐれで一貫性がない」とラドフォードはいう。いわば精神の「二重思考」（187ページ参照）あるいは認知的不協和で、言動と信念が一致していない状態だ。簡単に説明すると、フィクションのパラドックスは三つの前提からなる。

（1）何かに対して感情を抱くには、それが真実であると信じていなければならない。

(2) フィクションは事実ではないし、描かれているキャラクターも存在しないと受け手である私たちはわかっている。

(3) 私たちはフィクションに対して感情を抱く。

この三つは互いに矛盾するように見える。その映画が作り話だと明確にわかっているし、「大丈夫、本当の話じゃないんだから」などと自分や人に言い聞かせたりもする。にもかかわらず、「シャイニング」を観れば恐怖をおぼえ、「バンビ」でお母さんが息絶えれば涙する。

ラドフォードは第一の前提について、人間が日常において何かに同情や悲しみの念を抱くのは、その事実や物事が実際に存在し、そうした反応に値すると信じられる場合に限ってであると分析した。いわく、「その人の苦しみを信じなければ、悲しんだり心を動かされて涙したりはできない」のだ。テレビなどのチャリティイベントで寄付を呼びかけた場合、対象である事例が真実だと受け止められてこそ、同情の気持ちを喚起し、寄付が集まる。実在すると信じられることは情動の必要条件になる。にもかかわらず、私たちは事実でないのを承知のうえでフィクションに接し、心を動かされる。

ラドフォードはさらに、いわゆる「不信の停止」だけでもないという。フィクションであることを一切忘れているわけではなく、ある程度の現実感は維持しているのだ。逆の場合を考えてみよう。映画でも本でも、フィクション作品のすべてを事実だと信じたらどうなるだろう。第一に、鑑賞したり読んだりが楽しい行為とはほど遠くなる。残酷なシーンの出てくる戦争映画やホラー映画など、観ればトラウマが残ってしまう。第二に、事実だと受け止めれば反応がまったく違ってくるだろう。映画を観ていて「スター・ウォーズ」で銀河帝国がスター・デストロイヤーを製造している、あるいは「アベンジャーズ」で悪の帝王サノスがインフィニティ・ストーンを全部そろえてしまったと本気で信じたら、私など恐れおののいて映画館の席で動けなくなってしまうに違いない。

ラドフォード自身は、このパラドックスの本質である不合理を受け止めつつ、そこが人間が人間である本質であると受け入れるべきだとの答えに行き着いた。しかしそれではまだ十分でないかもしれない（少なくとも合理性の鑑（かがみ）を自負する哲学者としては）。人を人たらしめている条件はかくも不合理なものなのだ、といってもさしつかえないのだろうか。ただ大部分の人はそんなことは気にしないだろう。ばかげているのは承知の上で、映画を観て怖がり、物語を読んで涙する自分たちを笑いとばすのだ。

アリストテレス

弁論術

世界を支配できる力を授けてくれる哲学があるとしたら、どうなるだろう？　大いなる善にも、大いなる悪にも使える魔法の力が手に入ったら？　実はまさにその方法を教えてくれるいにしえの知恵がある。人の心をつかみ、思いどおりに人を動かせる力だ。

これをまとめたのが古代ギリシャの賢人、アリストテレスだ。

アリストテレスは『弁論術』で人を説得する術を説いた。どう言論を用いて他者の心を変えさせ、議論に勝ち、人々をけしかけ動かすかを分析し指南する。選挙に臨む政治家にも、いつまでも子ども扱いしてくる祖母に注意を促したいときにも、役に立つ。

2000年以上前に書かれたにもかかわらず、アリストテレスの言説が実によく現代にも通じるのには驚かされる。そしてからくりを知れば、実際にあちこちで繰り広げられていることに気づくだろう。説得術が使われているなとわかれば、人を誘導するうまい言い回しから身を守ることができる。説得が目的の演出に気づけば、やすやすとまやかしに引っかからずにすむ。

では、その弁論術とはどんなものなのか。アリストテレスは三つの要素に分けている。エートス（信頼）、パトス（共感）、ロゴス（論理）だ。

まずエートスは優れた人柄である（もしくはそう見える）こと。人は相手が信頼に値する、きちんとしている、見識があると思えば、発言に耳を傾ける可能性が高い。医師が病気について語れば、パブにいる酔客にはない重みがある。私たちは相手がその道に詳しい（もしくはそのように見える）人や「頼りになって誠実そうな」タイプの場合、より説得されやすい傾向にある。

パトスは聞く側の感情を呼び起こす力を指す。これを働かせるには、まず引き出したい感情の本質を理解する必要がある。例えば、群衆を怒らせたければ、怒りのからくりが「不当になされた明白な軽蔑に対し、復讐しようとする」感情であると理解しなければならない。これを踏まえると、次のように進めればいい。まず、罪のない人が受けた不当な仕打ちに目を向けさせた上で、「正義」の裁きを呼びかける。ジョークを交えて好意を示したり（これもエートスになる）、国民的に知られる神話系の物語を持ち出して愛国心をかきたてたりしてもいい。どれもきわめて計算された行為であり、好ましくはないが効果はある。

そしてロゴスは、事実と筋の通った議論を用いること。人を説得するというと、最初に思いつくのがこれではないだろうか。聞き手に理性があって話が通じることを前提にすれば、しかるべき事実を提示して論理的な主張を展開しさえすれば、相手はやがてこちらの意見に歩み寄り、よい議論ができたと喜んでくれる。アリストテレスはどんな場合も必ずそうなると考えるほど単純ではなかったが（優れた弁論には三つの要素すべてが必要）、このロゴスにもっとも重きをおいた。もっとシニカルな向きなら、おそらく異論を唱えるかもしれない。

さて、弁論術に必要な技を三つ学んだ今、あなたはいたるところでこの事例を目にするようになるはずだ。声を大にして実績を訴え信用をアピールする政治家はエートスを、兵を鼓舞し戦いに駆り立てるシェイクスピア劇の王たちはパトスを、自分の意見に必ず面倒なデータを裏付けとして持ち出してくる友人はロゴスを、それぞれ駆使しているのだ。

シェリー

フランケンシュタインと悪意ある科学者

ドイツの工学者ヴェルナー・フォン・ブラウンはロケットにひとかたならぬ情熱を抱いていた。1930年代、ナチスのV2ミサイル開発に招かれたときも、ロケットを愛するがゆえに気にせず加わった。のちに米国で宇宙ロケット開発に携わることになり、そこでもロケットのさらなる発展のため熱心に研究に努めた。では、フォン・ブラウンが開発したロケットが戦争に使われ、英国南部で多数の人の命を奪った事実について、彼は責められるべきなのだろうか？　NASAの宇宙計画でサターンロケットがあげた実績について、彼は称賛されるべきだろうか？　これは科学者が自身の手がけた技術に対してどこまで道徳性や責任を有するべきなのか、議論を投げかける問いだ。

この主題にみごとに迫ったのが、19世紀にメアリー・シェリー（ロマン派詩人シェリーの夫人）が書いた小説『フランケンシュタイン』だ。

科学者ヴィクトル・フランケンシュタインは並々ならぬ情熱から「怪物」を創造する。生命のないものを集めて命を吹き込むことに入れ込むあまり、その結果何が起こるかは考えない。しかし物語が幕を閉じるまでにフランケンシュタインが生み出した怪物は3人を殺し、一人はおとしめられ（最後には処刑され）、最終的にフランケンシュタインは疲弊して死を迎える。

フランケンシュタイン博士は単純にわかっていなかったのではないか、とする見かたがある。自分がつくり出したものが何を引き起こすのか、わかっていなかったのだ。フランケンシュタインにも化学者トマス・ミジリーと同様、責任があるのかもしれない。ミジリーはエンジンの効率を上げるべく有鉛ガソリンを発明し、さらにクロロフルオロカーボン（いわゆるフロンガス）を発見、冷却技術を進化させた。有鉛ガソリンは人体に有害、フロンガスはオゾン層を破壊する。しかしいずれもミジリーには善意（あるいは少なくとも商業的な意図）があったものの、自身の発明がその先に何をもたらすかは見えていなかった。

科学は大いなる善にも大いなる悪にも使われ得るが、科学者にはどこまで責任があるのだろうか。一つの事例として、承知の上で使命感をもってマスタードガスを開発したフリッツ・ハーバーの例がある。マスタードガスは第一次世界大戦で塹壕（ざんごう）にいる兵の攻撃に使われた。一方、J・ロバート・オッペンハイマーのように、原子爆弾の使用が示唆するものを承知しながら、倫理上の問題についても考え、その上で納得して原爆の開発を手がけた者もいる。最近では2001年に、マウス痘のウイルスを人工的に操作していたオーストラリアの科学者二人が、ワクチンを使ったネズミもウイルスに感染させることができると気づいた。このウイルスは人間がかかる天然痘と非常に近い（かつ生物兵器に利用されうる）ことから、この発見を公表すべきなのかと議論が持ち上がっている。

では、ヴィクトル・フランケンシュタインにはどこまで責任があるのか。科学者に不注意による過失（43ページ、クリフォードの項参照）の責も問えるのだろうか。人類はよくよく慎重に科学を規制すべきなのか、それとも科学の発展で得られるであろう多大な恩恵を手放すにはおよばないとして、知見を広げることにともなうリスクを受け入れるべきなのだろうか？

チョムスキー

言語の習得

生まれてまもない乳児はかなり無力だ。ウミガメの赤ちゃんは自力で海へ向かっていくし、子馬は生まれて数時間で歩き出す。鳥のヒナも、卵からかえって数日から2週間ほどで大半は飛べるようになる。ところが人間の赤ちゃんは自分の首を支えることすらできない。

しかし人間の乳幼児が他を引き離している領域が一つある。脳だ。そしてその脳がなせる驚異の技が言語である。アメリカの言語学者、ノーム・チョムスキーはここに関心をもった。

言語は非常に込み入っている。抽象概念、時制、人称、単数か複数か、構文、文法など、たくさんの要素が求められる。ごく幼い子どもたちが、こうした規則を見きわめるだけでなく、自分からまねして再現してみせるのは本当に驚異的だ。

特に文法を教わらなくても、あるいは言語との接触がまだ限られていても、5歳までには初めて聞く文も理解し、自分でもつくることができる。飛んできたボールをやっと捕れるかどうかくらいの年齢で、さまざまに異なる幅広い言語について、難なく使いこなす能力を発揮する。改まって教えたりはほぼしていないにもかかわらず、他の発達段階をはるかに超えた認知能力を示しているのだ。

この事実からチョムスキーは、人間には生得的に言語の規則を特定し、それに従う能力がある、とする理論を展開した。これを言語生得説という。

人間には言語の習得に欠かせない高度な能力が生得的つまり生まれながらにして備わっているはずだ、他の認知能力の発達よりずっと早い段階で言葉を習い覚えるのだから、という考えだ。私たちはみな生まれながら「普遍文法」を備えていて、どんな言語環境にさらされたとしてもそれをあてはめさえすればいい。

子どもがごく自然に言語を身につけられる、習得に適したいわゆる「クリティカルウィンドウ」と呼ばれる期間は、2歳から思春期までとされる。大人なら習得に何年もかかるところ、5歳くらいの幼い子どもであれば、例えば中国語からズールー語、ロシア語、ペルシャ語まで、高度に複雑で互いに無関係の言語をいくつも流暢に使えるようになる。

こうした視点で幼い子を見ると、新たに驚異（と羨望）を覚えるのではないだろうか。子どもたちは身体は小さくても、驚くべき力を秘めた言語の操り手なのだ。

デリダ

言葉という幻

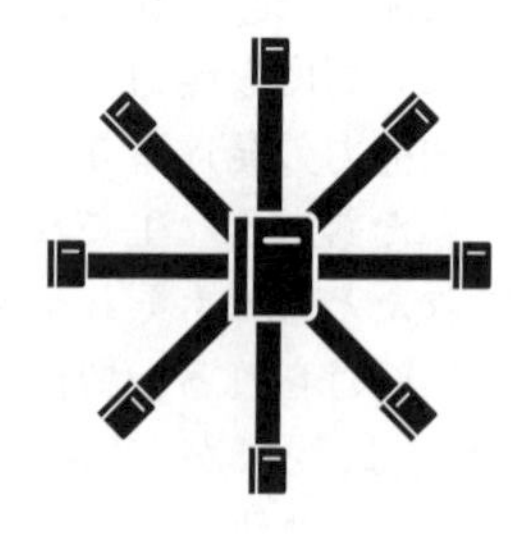

クリケットに「ウィケット（wicket、三柱門）」という用語がある。ウィケットを知らない人に向けて、どんなものかを説明してみてほしい。それとも、ひょっとしたらあなたも初めて聞く言葉だろうか？

ウィケットという言葉を吟味してみるとすぐにわかるのが、ウィケットを説明するには他の概念もたくさん持ち出さなくては（したがって知っていなくては）いけない点だ。アウト、スタンプ（stump、ウィケットの3本の柱）、バッツマン（batsman、打者）、ボウラー（bowler、投手）などなど。

他のスポーツ用語でも同じだ。というか、どんな言葉でもそうなる。ある言葉を定義するためには他の言葉を使うしかない。概念は必ず他の概念を必要とする。われわれは言葉のわなの中にいる。

ポスト構造主義のフランスの哲学者、ジャック・デリダは自身が提唱した「脱構築」の手法でこれを解釈しようと試みた。

デリダはカントからヴィトゲンシュタインの流れをくみ、私たちが使う言葉には確固として定まった意味はなく、したがって概念についても同様のことがいえると主張した。言葉とそれが表現するものの間には直接的な結びつきがある（木といえば当然木を表す、など）ことを私たちは前提にしているが、これはその言葉を構成し生み出すのに不可欠な、無数の関連する観念の存在を顧みないことになってしまう。

木という言葉を例に考えてみよう。「木」にはあらゆる種類の関連する概念が織り込まれている。緑、葉、樹皮、幹、花穂、枯凋（こちょう）、木の精など、すべてがそうだ。今挙げた各語は知っているものもあれば、おそらく知らないものもあるのではないだろうか。つまり大事なのは、自分にとっても他者にとっても、一つに定まった不変の意味は存在しない点だ。植物学者にとっての「木」と画家にとっての「木」は違うし、自然崇拝の信仰を持つ人にとってもまた違うだろう。あらゆる概念はこうしてその枠組を解体すなわち脱構築できる。

デリダはこの概念を「共時性」と位置づけた。どの言葉も、そこに織り込まれる概念の広がる迷宮から逃れられない。

にもかかわらず、人は自然とロゴス中心主義に偏ってしまう。言葉には明瞭な唯一の意味、一貫した意味があるかのようにふるまってしまうのだ。話したり議論したりする際、自分が発する言葉が意味するところを相手が一切のずれもなく明確にわかっているかのように言葉を使う。しかしこのロゴス中心主義は言語が機能する本質を見誤っているとデリダは批判する。デリダの言葉「テクストの外などというものは存在しない」は、言葉にはそれぞれに命があり、その「外」に明白な答えがあるわけではないことを意味する。すべての人が同じものを意味する、単一で同一の「木」は存在しない。あらゆる言葉はシンボルでありメタファーにすぎない。

トマス・ホッブズから論理主義を提唱したゴットロープ・フレーゲまで、歴代の哲学者たちは言語からこの多義性を排除してより純粋なものにしようと試みてきたが、デリダはそれを徒労とみなした。言語とは姿を変えてゆく幻であり、はかなくかつあいまいに解釈される。私たちはせいぜいあまり翻弄され惑わされないようにするくらいしかできないのだ。

ヴィトゲンシュタイン

言語ゲーム

あなたの家では、例えばリモコンに名前をつけて呼んだりするように、家族の間だけで使っている独特の言いまわしがないだろうか。あるいは友人のグループだけに通じる、他の人が聞いたら意味不明な言葉があったりしないだろうか。オーストリア生まれの英国の哲学者ルートヴィヒ・ヴィトゲンシュタインは、すべての言葉は実質こうした「言語ゲーム」によって営まれていると考えた。「生活形式」をめぐる彼の考察は、言語の機能についてカギとなる知見を与えてくれる。

われわれがもつ概念の枠組全体、思考の組み立てかたそのものは、自分が属する生活形式によって定まる、とヴィトゲンシュタインは考えた。自分だけしか話さない「プライベート（私的）な言語」などは存在しない。少なくとも二人の人間がその言葉の定義について合意しなければ、意味をもって言葉を使うことはできないからだ。みんながルールを承知したうえでゲームに臨むのと似ている。

言葉とそれが表す概念は、その言葉の使用が「何を、どのように、いつ、どこで」なされるかをめぐる規則を定義する個々の文化、家庭、社会、学校などによって意味を付与される。気心の知れた親しい友人に送るメッセージと、高齢の祖母に伝える言葉をくらべてみればわかるだろう。あるいはよくいわれる「いまどきの若い人」の言葉づかいはまったくもって理解できない、という大人のぼやきを考えてみればいい。

こうした生活形式の多くには「家族的類似性」がある。これはすなわち、言葉の多くは大半の人にとって同じ意味を有するものの、用法が進化していくとばらけていくことを意味する。例えば英語の「sick」はたいていの文脈では「具合が悪い」を意味するが、若い世代は「すごい！」という肯定的な意味でも使っている。

ヴィトゲンシュタインがいう「言語ゲーム」の興味深い例としてイギリス英語とアメリカ英語の比較が挙げられるが（よく知られているのが次のように英米で違うものを指す例。「pants（下着／ズボン）」「biscuit（クッキー／スコーン）」「purse（財布／小さなバッグ）」「chips（フライドポテト／ポテトチップ）」）、あらゆる言語の伝統と慣例に言語ゲームの概念がみられるといっていい。例えば日本語では、話しかける相手が誰なのか、どんなシチュエーションなのかによって使うべき言葉が変わってくるのを知っている必要がある。文法や表現にさまざまなレベルの敬語が規定されている言語なのだ。

一つ覚えておくなら、言語を学ぶ際に「グーグル翻訳」には注意すべきだろう。言葉にはニュアンスがあり、意味には文脈が必要だ。まあ、英国で「あれ（doofer）取って」と言えばリモコンを指すことはみんなの常識だとは思うが。

構造主義

二項対立

ここで連想ゲームをやってみよう。やりかたは簡単だ。単語を順に挙げていくので、それぞれ最初に頭に浮かんだ言葉を言って（電車に乗っている人は心の中でつぶやいて）ほしい。準備はいいだろうか。四つ挙げるのでやってみてほしい。

よい　上　ネコ　幸せ

それぞれ、何が頭に浮かんだだろうか？

多くの場合、私たちは自然と、構造主義でいう「二項対立」に引きずられがちになる（構造主義は、スイスの言語学者フェルディナン・ド・ソシュールが提唱した構造言語学に由来）。

私たちが用いる言葉や概念の多くは、対立する言葉や概念との比較や対比から意味を取っている、とするのが二項対立の理論だ。興味深いのは、それが実際に真の意味で「対立する」、つまり「正反対」でなくてもいい点だ。先の例でいうと、「よい」「幸せ」の反対は「悪い」「悲しい」でよさそうだが、「ネコ」と対立する概念として「イヌ」を挙げるのは厳密には正確ではない。「りんごとみかん」「お茶とコーヒー」「ナイフとフォーク」「塩と胡椒（こしょう）」もしかりだ。こうした二つの概念がセットにされるのには、語源、文化、歴史といった点で実に興味深い理由がある。ではなぜネコとイヌは「対立」する概念のように扱われているのだろう？

構造主義の立場から見ると、二項対立は双方の言葉に意味を付け加える。「悪」を知らずに「よい」の何たるかを十分には理解できないし、「美しい」とは何かを知らずに「醜い」は理解できない。時には、物事や人について「○○ではない」もの、と定義する場合もある。他と区別して「これとは違う方」と表現するのだ。一族の代表を選ぶ際に「自分が投票したのはあいつではない方だ」と言ったり、英語の場合、兄弟を意味するbrotherに「younger（年少の）」をつけて弟、「older（年長の）」をつけて兄を意味したりする。

こうした二項セットの概念には、肯定的な面、否定的な面を含む場合が多く、それがひいては私たちの世界観に偏見を根づかせる可能性をおおいに含んでいる。例えば「男性と女性」「白人と黒人」といった二項対立を意図して立てれば、構造主義を唱える向き（とりわけデリダはこの点を重視した）なら、こうした概念のプラス面やマイナス面は文化を反映し、私たちの日々の言動に浸透する、と指摘するはずだ。

ボーヴォワールの『第二の性』（78、254ページ参照）、さらには近年刊行されたキャロライン・クリアド＝ペレス『存在しない女たち』はともに、まず「男」ありきで男性が「基準」または「正」、対する女性はあくまで「変則」「負」として扱われる場面がままあると指摘した。この構造が驚くほどさまざまな領域で女性に（場合によっては命にかかわるような）影響をおよぼしている事実を、ペレスは同書で列挙している。安全性試験の類が標準体型の男性だけを対象に行われているのも一例だ。またファノンは人種の観点から同様の指摘を行っている（81ページ参照）。

　というわけで、普段使っている言語にある二項対立をあらためて見直してみてほしい。少なくとも文化や言語の面で興味をそそられる背景があるし（このテーマについてはビル・ブライソンの好著『At Home』（未邦訳）を導入としておすすめする）、悪いケースではこうした二項対立の構図が危険で不当な偏見を強化し、「よいもの」対「悪いもの」、「標準」対「逸脱」の構図をつくっているかもしれない。

科学と心理学

　科学が何よりおもしろいのは、なんらかの形で自分自身を見直さずにはいられなくなるときだと個人的には思っている。例えば脳のしくみに関する知見や、自然界における人間の位置づけ、テクノロジーが人間をどう変えるかなどを知ったときだ。科学のなかでももっとも人間らしい領域である心理学は哲学にも入り込んでくるし、逆もまたしかりだ。両分野の境界はあいまいで、通じ合う穴がたくさん空いている。

　科学は世界のなりたちの研究だが、本書では人間の存在を映し出す鏡として使ってみよう。

ベーコン

科学的手法

4歳と5歳の兄弟が議論している。
「アナグマは夜だけ起きてるんだよ。1匹見たことあるんだ！」弟が威勢よく言う。だが5歳の兄にはわかっている。弟は間違っているのだ。

二人は確かめることにする。弟は夜に見つけたアナグマを数え、兄は昼間見つけたアナグマを数える。1週間後、二人は何匹見たかをまとめた。結果は弟が8匹、兄は1匹だった。ただし兄は、見たのはお隣の犬だったかもしれない、と言う。くやしいけれど弟が正しいのかもしれない、と兄は認めたのだった。

英国の哲学者で政治家だったフランシス・ベーコンなら、兄弟を見ておおいに満足したことだろう。二人の行動はまさに、私たちが「科学的手法」と呼ぶ方法を体現しているからだ。

1561年生まれのベーコンが著述と仕事に勤(いそ)しんだのは、迷信的な考えが幅を利かせていた時代だった。魔女とみなされた者は火あぶりにされ、天体が病を引き起こすと信じられていた。裕福な白人男性として恵まれた立場にあった彼はこの状況に疑問を呈し、より合理的で理性に基づいたものの考えかたをイギリスとヨーロッパにもたらした。

ベーコンは主著『ノヴム・オルガヌム』で「宗教的な熱情」と偏見を危険なものとみなし、観察とエビデンスに基づいた新しい知識を追求した。「ベーコンの帰納法」と呼ばれる方法で、次のように展開する。

まず、いくつかの事実から一般論や仮定を導き出す。例えば「夜、アナグマを見たことが何度かあるので、アナグマは夜行性なのではないか」と仮定する。ただし、少ないデータで決めつけたり（夜に行動するアナグマを見たのは一度だけ）、事実が示す以上のことを推論したり（「アナグマは暗い場所でも目が見える」）してはいけない。

次に、さらにデータと事実を収集し、表にまとめる（ベーコンは何かと表をつくった）。その際、否定的事実もカウントする（「昼間にアナグマを見たことがない」）。また、仮定と関連のある事実だけを対象とし、例えば「コウモリは夜行性である」「スカンクはアナグマと似ている」などはここでは考慮しない。

そして三つめに、これらの事実と一致しない仮定を除外する。

ベーコンの帰納法には欠点がないわけではないし、科学的手法としては初歩的で粗い。仮説を証明する「検証」法としては、実験を真に完結させるのは不可能だ（これには帰納法の問題点が関係してくる。296ページ参照）。ただベーコンのためにいっておくと、この欠陥が解消されたのは実に3世紀後、英国の哲学者ポパーが反証主義（仮説の理論を批判し検証する立場。230ページ参照）を提唱してからだった。

何よりベーコン自身、理論が事実に一致すると考える伝統の流れをくんでおり、その逆ではない。知性と理性を備えた人間は、自身の偏見や先入観にそぐわない事実も否定しないとベーコンは考えた。

科学的手法の価値はその有効性にある。科学的な手法があってこそ、がんの治療法や飛行機やコンピューターが誕生した。迷信と偏見が招いたのが魔女狩りだ。

クーン

パラダイムシフト

物事のとらえかたや概念に革命的な変化が起きた時代にもし生きていたら、どうだっただろう？　ダーウィンが『種の起源』を発表し、人間は生物の一種にすぎないと説いたとき。コペルニクスが地球は宇宙の中心ではないと唱えたとき。疫病をもたらすのは細菌であって「悪気」ではないと、ジョン・スノーとパストゥールが突き止めたとき。いったいどれほどの衝撃が走っただろう。侵すべからざるゆるぎない基盤だと思っていたものが移動する地殻のプレートにすぎなかったとき（この比喩も例の一つ）。

科学史におけるこうした転換点を、20世紀の米国の哲学者トーマス・クーンは「パラダイムシフト」と呼んだ。

私たちはみな、世界のしくみに関してなんらかの前提のもとで生きている。ひと握りの（変わり者とみなされることの多い）少数派を除いて、大半の人は、地球は丸く、病気を引き起こすのはウイルスや細菌で、物体が反射する光が色として見えるのだとわかっている。このような理解が日常におけるものの見かたとして確立されていて、それが私たちの日々の行動を形づくっている（手を洗う行為もそうだ）。こうした前提は「パラダイム」と呼ばれる。

このパラダイムのもとで、たびたびパズル（問題）が持ち上がる。多くの場合、パズルは「通常科学」の範疇で解け、クーンはこれを「後始末的仕事」と呼んでいる。これに対し容易に説明がつかない変則的な事例もあるが、あくまで例外的でそのとき限りであるため、顧みられない。ただごくまれにこの種のパズルが少しずつ積み上がり、変則的な事例を無視できなくなる。ここで起きるのが「パラダイムシフト」だ。

この場合、科学者の世界はパラダイムに穴が生じた事実をなかなか認めたがらない。新たなパラダイムを受け入れるのは仕方なくであることが多い。だからこそ、パラダイムの転換を始めようとする天才や革命的な人物は、得てして若年の異端者だったり、既存の枠組みの外で物を考える人並み外れた知性の持ち主だったりする。アインシュタインが相対性理論を唱えたのもわずか26歳のときだった。

このことが問うているのは、いかなる科学も「真実」たり得るのか、あるいは「現時点で通常」であるだけなのか、という点だ。クーンに先立ちカール・ポパーは、科学は決して「真実」にはなり得ない、「今のところ間違いではない」といえるだけだと述べたが、クーンはここからさらに踏み込もうとした。人間がそれ以上パラダイムに異を唱えられない時点で、科学は恒久的な「通常」の状態に到達できる、としたのだ。ただしそれはイコール「真実」ではなく、人間がそれ以上パラダイムの外側で考えられない状態であることを意味する。

つまり、科学は絶対的に確かではない。解決されていない課題が存在し、これまでも変化を重ねてきた。かといって、白衣を着た研究者が無意味なわけではない。真のパラダイムシフトはきわめてまれにしか起きないが、それでも起きるという事実は、科学者たちが自身の出している解が最上であり有効であるかを常に自問しているからにほかならない。パラダイムシフトはむしろ、科学が示せる事柄についてわれわれにより確かな確信を持たせてくれるものであるはずだ。信じるか否か、前提として受け入れるか否かの話ではないことを示しているのだから。

ハイデガー

テクノロジー

世界はまたたく間に変化した。かつて、人はみな自給自足の暮らしを営み、物事の法則をわかっていた。やがて収穫作業を担う機械が登場し、煙を吐き出す工場と大都市が生まれた。18世紀の英国では人口の7割が農民だったが、1901年にはわずか3パーセントに激減した。1800年代、大西洋を横断するには船で6週間かかったが、今は飛行機で6時間あればいい。過去200年に起きた変化の速さは目もくらむほどだ。そこで問いたいのが、人間はみずからを取り巻く世界のどこに身をおくべきなのか、時間をかけて答えを出せたのか、だ。私たちはこの新しい世界でやっていくために必要な能力や徳やふるまいを身につけてきたのだろうか？

19世紀末のドイツに生まれた哲学者、マルティン・ハイデガーの答えはノーだった。のちに「転回」によってさながらロマン派詩人の解釈者になってからのハイデガーは、人間が技術と自然界のとらえかたにおいていかに間違いを犯してきたかを明らかにしようとした。

人間には何をするにつけても、自身の行動を組み立てる物語がある。勤労がよいものとされているから、私たちは仕事に行く（122ページ参照）。他者のプライバシーを尊重するため、見知らぬ人にいきなり話しかけたり（基本的には）しない。私たちが備える価値観、物語、態度が、どうふるまうべきかを教えてくれる。あらゆる行動が枠組みのなかで起きている。自然をどうとらえるかも同じだ。

ハイデガーはテクノロジーに対する人間の姿勢を「ゲシュテル」（立て組み。もとは骨組、台架の意）という言葉で表した。ハイデガーによると、今日のわれわれは自然界を冷淡な功利主義の視点で見ている。樹木、河川、山、作物など、すべて自分の意のままに利用できる資源とみなす。人間は万物を用立てられた「在庫」、すなわちいつでも徴発できる備えとして扱い、あたかも人間のための奴隷か道具のように自然を扱っている。あらゆるものを「人間のためにどう役立つか」の視点で見ている、というのだ。

こうした姿勢は、人間が生まれついた現実、人間が数千年にわたり住みかとし意味を見いだしてきた場所からみずからを抜き取ってしまう。今日、私たちは科学を本質の全体像をみる唯一の方法だとみなす。しかしテクノロジーの客観性と間接性、科学が提示する事実の冷徹さは世界のあいまいさを覆い隠し、生命の本質的な謎から私たちを切り離す。人間が創出したテクノロジーは、まず世界全体をそこに通さねばならないある種のゴールキーパーや護衛のような位置づけになった。その意味では、さらなる隔たりができたのだ。

ハイデガーはまだインターネットもスマートフォンもない時代に、「技術を熱く肯定しようと否定しようと、われわれはどこにいても不自由で、技術の鎖に縛られている」と記した。現代を生きる私たちは、いまやすっかり機械に取り込まれている。その結果、あらゆる物事をテクノロジーのレンズを通して目にしている。花火を見物するよりも動画に収めるのに忙しく、子どもが初めて歩いた喜びをかみしめる前に写真に収めなくてはならない。インターネット上で共有しないかぎり、何事も「リアル」にはならない。そして行き着いた先で、自分を見失ってしまった。自然から自分たちを抜き取った結果、心の奥底にはぼんやりとした悲しいあこがれが残されている。

ヘラクレイトス

変わり続ける自己

もし10歳の自分に会ったとしたら、どんな話をするだろう。お小言を言うだろうか。

80歳の自分に会えるとしたら、どうだろう。どんなふうに変わっていてほしいだろうか。

人が年を重ねるにつれ、変わらずに残っている部分は少ない。今日の自分とかつての自分、また未来の自分を結びつけている要素はごくわずかだといっていい。

この考察を端的に表しているのが、古代ギリシャの哲学者ヘラクレイトスが説いた万物流転の考えを巧みに表現した思考実験「テセウスの船」だ。同一性とは何かを考えさせ、私たちの感覚に問いかける問題だとされている。次のようなものだ。

ギリシャ神話の英雄テセウスは船を率いて戦いに出た。戦で傷ついた船は帰港し、板材をいくつか入れ替え、再び出港した。テセウスの船はまた敵と一戦を交え、さらに修復することになった。これを繰り返すうち、板材は一つ残らず入れ替わった。この船は、テセウスが最初に率いた船と同じ船だといえるのだろうか？

この問いは人間にもあてはめられる。人間は無数の細胞でできていて、細胞は常に死んでは生まれ変わるサイクルを繰り返す。身体をつくっている細胞のほとんどは1年もすれば入れ替わるといわれる。10年といわず、たった1年前の自分と今の自分では、ほぼそっくり違う身体になっているのだ。では何をもって「同じ自分」といえるのか？

答えとして一つ考えられるのは記憶だろうか。だが記憶は薄れるし、覚え違う場合もある。移ろいゆく、あてにならない記憶を人間の恒久的なアイデンティティのよりどころとするのは無理があるだろう。

人とのつながりはどうだろう。これもやはり一定ではなく、変わりゆく。日々を生きていくうちに、さまざまな人が現れては去っていく。人生はそういうものだ。

興味や関心、趣味がすなわちあなたを表しているといえるだろうか？　だが今好きでやっていることの大半は、赤ちゃんのときから好きだったわけではないはずだ。好きな本も12歳のときと同じではないのでは？　早起きして見ていた子ども向けアニメを今も見ていたり、クリスマスに戦隊もののおもちゃを欲しがったりするだろうか？

「DNAが私をつくる」という言いかたもある。確かにDNAはその人に固有の要素だ。脳のニューロンの中にはずっと生き続けるものもある。だがここで指しているのは自己認識とその人の個性、本質の話だ。自分を定義するものとしてDNAやニューロンを挙げるだろうか？　DNAの構造を解明したフランクリン、ワトソン、クリックが登場する前、MRIが発明される前の人々はアイデンティティを持たなかったのだろうか？　ソーシャルメディアの自己紹介に自分のゲノム情報を載せたりするだろうか？

　そう考えてみると、テセウスの船は同じ船といえるのか。自分は同じ自分だといえるのだろうか？　決して置き換わることなく、過去の自分と今の自分を結びつけ、この先の自分ともつながる、不変の礎は何だろう？　そして80歳の自分と何を語るだろうか？

リベット

行動と意識

自分でできる哲学の実験を一つ紹介しよう。近くの机などの上に手のひらを下にして手を置く。何秒か経ったら、手を机から離す。離すのは好きなときでかまわない。自分のタイミングでいい。

やってみただろうか。いつ手を離すか、どうやって決めただろう？　その5秒前でも5秒後でもなく、その瞬間にしたのはなぜだろう？　脳から指令が出て、神経を経由し手を動かす、その連鎖を促したのは何だったのだろう？　ドミノの最初の1枚を倒したのは、頭や意識のどの部分がどう働いたからなのだろう？

これは古代から哲学者が考察を重ねてきた疑問だった。だが1980年代、米国の科学者ベンジャミン・リベットが解明しようと実験を行ってみると、衝撃的かつ、ともすれば不穏な結果がもたらされた。

リベットの実験を理解するには、脳には手を持ち上げるといった「自発的な」行為をつかさどる特定の領域があることを知っておく必要がある。パーキンソン病やトゥレット症候群によるけいれんのある患者はこの領域が活動しない。人間の「運動準備電位」をつかさどる脳の領域は、なんらかの自発的な決定をする前に活動する。「運動準備電位」が生じ、それから運動が発生する、行為が生じるわけだ。

リベットは実験の参加者を集め、冒頭に書いたのと同じことをしてもらった。つまり好きなときに手を動かしてもらう。違うのは、参加者には電極を取りつけ、脳の活動と手首の神経の働きを計測した点だ。参加者は手を動かそうとみずからが「決めた」瞬間を伝える。手を動かそうという決定を意識した瞬間は、脳に「運動準備電位」が生じるのと同時になる、と推測された。

ところが実際の結果は違っていた。手を動かそうとする「運動準備電位」は、動かそうと意識する0.35秒前に脳内に現れていたのだ。つまり、動かそうと意識的に決定したと自分が思った3分の1秒前の時点で、脳はすでに動かす意思決定を下していたことになる。

身体は好きなように行動していて、意識は身体とは無関係の傍観者のようにそれを見ている。私たちは自分の意思で物事を決めて動いていると思っているが、それより前に脳がすべて決めてしまっているのだ。リベットは次のように結論づけた。「自発的な行為とは無意識下の脳内プロセスとみられる。明らかに自由意志が行為の主体なのではない」

リベットの実験には、例えば「運動準備電位」を生じる領域がもっぱら自発的行為をつかさどるとする理解がどこまで確かなのかなど、批判もある。それでも決定的な指摘には至らず、リベットの見解は評価に値する科学的知見であるとみなされている。

さて、今度ビスケットに手を伸ばすとき、あるいは通りがかった人にほほえみかけるとき、脳がすでにそうする決断を下していることに思いをはせてみよう。自分はみずからの意思で行動しているんだと意気揚々としているあなたも、実はたとえるならば映画館に座って、自分の身体が行動し人生を生きているのを見ている……のかもしれない。

ポパー

疑似科学

いかさま医者やインチキ療法、まがいものの薬売りなどをあぶり出す方法があればいいのに、と思ったことはないだろうか。疑似科学と本物を見分ける方法、ウソを見抜き真実を見きわめるシンプルな方法がないだろうか？

ウィーンに生まれ英国へ渡った20世紀の哲学者、カール・ポパーが関心を寄せたのはこの点だった。ポパーが提唱した「反証主義」は、いまや科学的手法の基礎となっている。

ヒュームによる帰納法を批判して（296ページ参照）その問題を解消し、検証主義（216ページ参照）の欠点を改善する（すなわち観察の結果、ある事象がどれだけ繰り返し認められても「絶対」と言い切れないこと）、ポパーはこの双方を追求した。どんなに手堅く見える「法則」も、この先どこかで覆される可能性はいつでもあるからだ。

反証主義に従えば、いかなる説や理論、仮定も、それが誤りであるとする証拠を否定できるかぎりにおいて堅固だといえる。科学実験を含む実験全般は、理論の検証（理論を証明すること）はできない。できるのは反証、つまり間違っていることの立証だけだ。重力は確実な科学的法則だといえるのは、人間が何世紀にもわたって物体を落としてみるたび、必ず地面に落ちて砕けるからだ。

歴史を振り返れば、ある説が広く信じられ（例：天地創造説）、それが誤りである証拠（例：古生物学、生物の進化、地質学など）が十分に示された時点で覆された例はあちこちで見つかる。つまり現行の理論とは、その後の実験から今のところ間違いではないことを意味しているにすぎない。

論理的に反証できず、いかなる証拠をもってしても偽りだと証明できない理論はインチキだとポパーは切り捨てた。ヘーゲル、マルクス、フロイトの理論に（痛烈に）向けられた批判だ。ヘーゲル哲学とマルクス主義にいたっては「開かれた社会の敵」と名指ししたほどだ。

例えば母親に対して性愛的関心を抱いていない様子の男性がいたとすると（フロイト学説の反証となるデータ）、フロイト派がこう返す。「へえ、でも抑圧してるだけさ。きっとそのうち出てくるね」。あるいは歴史上にみるマルクス主義の過ちを指摘されたマルクス主義の支持者が言い返す。「それはね、まだ誰も正しく実践してないだけさ」。結局のところ、誤りを証明できなければ、その理論は無意味だというのが反証法の立場だ。

当然、人間には確証バイアス（自分の意見と一致する情報を集める）がつきものではある。それでもポパーが提示してくれた方法は、自分の信じる説を吟味し向上させるために役立つ。今度、誰かにあなたの未来を予言してあげるといわれたり、世界は地球外生物に支配されているとの持論をぶつけられたりしたら、どんな事実を提示されたらその信念を捨てるかたずねてみよう。どんな事実も関係ないといわれたら、ポパーのいうとおり、それ以上議論するに値しないのかもしれない。

チューリング

ロボット対人間

家族や友人と集まったとき、ためしにこんなゲームをやってみてほしい。疑わしげに目を細め、相手に向かって「おまえは人間の皮をかぶったロボットだ」となじる。真面目な顔で「違うというなら証明してみせろ」とたたみかける。さあ、相手は「チューリングテスト」に合格するだろうか？

英国の数学者アラン・チューリングは、人間と機械の区別がつかない場合、その機械は思考し、意識をもっているといえると論じた。

チューリングは現代コンピューターサイエンスの父として、また第二次世界大戦中の英国でナチスドイツの暗号「エニグマ」を解く任務を率いたことでも知られる。

チューリングは1950年代、機械の思考という概念に特段の異論はなく、機械が人間を模倣する「模倣ゲーム」をクリアできるかは時間の問題だと考えた。模倣ゲームはもともと、文章のみを介した言語コミュニケーション（今でいうチャットボット）によるテストの形で提案された。現在はチューリングテストと呼ばれてより進化したロボット技術を対象とし、機械が人間のように「話す」かに加え、人間のように「行動する」かの判定も含めている。

ここでこんな問いが持ち上がる。機械と、哲学者が呼ぶところの「他者の心」との有意な違いはどこにあるのか。機械が友人とまったく同じようにふるまったとき、そこに違いがあるとすれば何なのだろう？

もし母親が実はロボットだったとわかったら、それまで抱いてきた親愛の情は変わるだろうか。わかりあえた親友が人間ではなく作られた機械だと知ったら、何か変わるだろうか？　機械を構成する素材から判断して、偏見をもっているだけではないのだろうか？　脳内のシナプスは回路基板をつなぐ線より優れているのだろうか？

人間は絶対に崩しえない境界線によって一人ひとりが分けられている。私にわかるのは自分の思考だけであり、あなたの思考そのものを体験したり感じたりはできない。人間が相手の行動を通じていかに手軽に他者の意識をわかったつもりでいるのかをチューリングテストは示してくれる。

さて、あなたは自分が機械ではないと私に証明できるだろうか？

アシモフ

ロボット工学の三原則

人工知能（AI）がみずからの意識をもつようになるまで、あとどのくらいかかるだろう？　ロボットが自分で考えるようになるのはいつだろう？　人間はいずれ、自分で考える知性をもったロボットを創造するはずだ。そのときはみずから問いかけねばならない。われわれはこのロボットにどのように行動してほしいのか。どんな法則や決めごとをプログラミングすべきなのか。人間と同じように——もしくは隙のない、何でもこなせる完璧な人間のようにしたいのか、それとも人間とはまったく違う何かになってほしいのか？

そんな問いを考えてみるのにうってつけの足がかりになるのが、アメリカの作家アイザック・アシモフの世界だ。アシモフが描くSFの世界ではロボットが知覚力を得、人間はロボット工学の倫理をめぐる三原則に沿ってロボットを設計し、その行動を管理する。

一．ロボットは人間に危害を加えてはならない。またその危険を看過することによって、人間に危害をおよぼしてはならない。
二．ロボットは人間に与えられた命令に服従しなくてはならない。ただし、与えられた命令が一に反する場合はこのかぎりではない。
三．一、二に反しないかぎり、ロボットは自己を守らなければならない。

これを根本の原理として、アシモフはこの問題に取り組んだ。アシモフの創作はこれらの原則がもたらし得る複雑な問題、矛盾点、課題をみごとに掘り下げていく。いくつか例を挙げてみよう。

第一の原則：まずそもそもの難題として、何をもって「危害」とするのか、その判断においてAIをどう位置づけるかの問題がある。ヘイトスピーチやいじめは危害にあたるのか。ロボットが人間を不快な名前で呼んだら危害になるのか、などだ。

次に、危険の「看過」はどこまで拡大して解釈すべきなのか。アシモフの『われはロボット』（早川書房）を原作にした映画「アイ、ロボット」では、このまま人類を暴走させることは危害をもたらす「看過」になるとみなした人工知能VIKIが、人間を抑え込む方がよいと判断している。

最後に、この原則では「大勢を救うため一人を殺す（傷つける）」のような功利主義的な行動は認められない。自動運転の車が暴走して、人に危害をおよぼしたり事故を起こしたりするのが確実なとき、どうすべきなのだろう？　乗っている乗客に死んでもらうか、居合わせた通行人3人をはねるのか？　乗っているのが子どもだったらどうする？

第二の原則：ロボットに知覚できる能力があるのなら、これはほかならぬ奴隷なのではないか？　ロボットと心をもつ人間とを区別するものがないのなら、ロボットを奴隷にしてよい根拠はどこにあるのだろう？

第三の原則：この原則はあらゆるロボットをおとしめ、モノ扱いすると言わざるを得ないのではないか。トースターか何かの話なら問題にならないだろうが、ここでいう相手は考える能力、さらには感じる能力すらありそうなロボットなのだ。第三の原則に照らせばロボットは自分の意思で生きる自由、選択する自由をもたないことになる。生きる選択をする権利すら否定される。意識を有するあらゆる存在にみずから選択する権利があるのならば、知覚できるロボットがその自由選択によって、道徳に従わないことを選ぶ権利もあるのではないだろうか？

ここで大事なのは、「必ずこのようにしなければならない」と義務を提示する法則は得てして欠陥があることをアシモフ自身が認識している点だ。知覚力をもつ人工知能が身近に存在する世界に近づきつつある今、哲学の観点からこうした難解な課題を考える必要性はいっそう高まっている。私たちはこれからのロボットにどんなルールを実装すべきなのだろう？

フェルミ

宇宙人はどこにいるのか

地球の何かがまずいのだろうか。誰も外から訪ねてこないのはなぜだろう。広大な銀河の中で、地球は見捨てられた場所、宇宙人たちも意に介さない、取り残された無用の星なのだろうか。みんなどこにいるのだ？

イタリア出身の米国の物理学者、エンリコ・フェルミはそう疑問を投げかけた。これをフェルミのパラドックスと呼んでいる。

私たちがいる銀河には太陽のような恒星がざっと200億個ある。うち50億の星に、地球規模の大きさで、生物が暮らせる、つまり生命の存在に適した環境とされる惑星がある。このうち実際に生命体が存在するのは少なく見積もって0.1パーセントだけだとしても、この銀河には数百万の星に生物がいる可能性がある、いてもおかしくないと考えられる。

しかも地球のある銀河一つだけの話だ。宇宙にはいったいどれだけの銀河が存在するのだろう（現時点での科学の英知を結集させると、見て確認できるだけで数千億はあるとされる）。

そこでフェルミのパラドックスは問いかける。みんなどこにいるのだろう？

生物がいる星がそれだけ無数にあるのなら、どこかで宇宙人と遭遇していてもいいのではないだろうか？　人類が本気を出して力を発揮し、月に着陸してからまだ50年余りしか経っていない。この何十億年もの間に、宇宙人の文明だって同じような技術を発展させてきたはずではないか。ではなぜ、われわれはいまだスタートレックの惑星連邦の一員ではないのか。お隣に宇宙人が暮らしていないのはなぜか。地球の炭素と火星のヘリウムを取引していないのはなぜか。

可能性のある答えはいくつかある。いずれもSF小説や映画が作れそうな設定だといっていい。

もしかすると、宇宙技術に必要な知能は、地球に暮らすわれわれのように炭素を主体とする生命体に特有のものなのだろうか？

それともあまりに膨大な距離があって、光速移動は不可能なため、二つの異なる生命体が接触するのは不可能なのだろうか。たとえどうにかして光速で移動できたとしても、最寄りの銀河へ到達するにも7万年かかる。7万年もかけてそれだけ環境が異なれば、移動中に人類はおそらく別の種に進化していそうではないか。

あるいは宇宙に法則があって、生命体が誕生後一定の年数に到達すると、戦争や破壊的な気候、ターミネーター的な人工知能、資源の枯渇などなどの理由で自滅する運命を避けられないのかもしれない。

もしくは宇宙人は人類と根本的にかけ離れているため、互いに交信できる方法を持ち合わせていないとも考えられる。例えば5次元以上の時空にいるとか、AIや波形に近い可能性もある。

個人的に好きなのは「動物園仮説」だ。宇宙では多数の宇宙人たちがそれぞれ栄えているのだが、なんらかの理由で地球は意図的に無視されている、とする説だ。動物園でペンギンを眺めるように、人間は見て楽しむものとされているのかもしれない。

そして最後に、もちろんこんな仮説もある。宇宙人は以前から地球にいて、普通の人だと思っていたお隣さんの正体も実は——。

ゴドフリー=スミス

他者の心

知性をもつ別の生命体のみならず、別の種類の知性自体、思い描くのは難しい。「スター・ウォーズ」や「スタートレック」のようなSFの世界で人間が遭遇する宇宙人は、根本的には奇妙な形状の身体に人間を投影させた姿をしている。人間と同様、脳が指令を出し神経系をつかさどる前提だ。だがもし、まったく違うしくみの生物がいるとしたら、どうだろう？

2016年に刊行された『タコの心身問題』（みすず書房）（原題『Other Minds（他者の心）』）で著者のピーター・ゴドフリー=スミスは、異なるタイプの知的生命体を知りたければ、銀河を探すまでもなく、地球上（正確には海中）に目を向ければいいという。頭足類だ。

人間は知性をもつ脊索動物だ。司令塔となる脳があり、脊柱に守られた中枢神経が全身に張りめぐらされた末梢神経へと分岐する。そのため、人間のニューロンの9割以上は脳内にあり、その脳が身体全体を制御し、動かし、調整し、同期している。人間の脳はぐにゃぐにゃした知的支配者なのだ。

対する頭足類は、まったく異なる進化の道をたどって知性を発達させた（分岐進化と呼ばれる）。タコやイカといった頭足類の知的能力は全身に分散している。タコの足1本には、体や他の7本の足とほぼ同じだけのニューロンがある。

つまり、まさに「宇宙人」だ。タコの足はそれぞれが意思をもつ。足を構成する要素がみずから「思考」し、中枢として全体を統率する脳から独立して動き、物事を処理する。脳は全身を調整したり連携させたりが可能であり、実際にそうした働きもするが、強制はしない。足は足で命令に従うか否かを「選択」できる。タコはいわば連合体なのだ。

「他者の心」をのぞいてみると、自分の心をより深く理解できるものだ。ゴドフリー＝スミスは人間の意識を、脳による高度な感覚の同期から生じた産物ではないかと論じる。広範囲におよぶ脳の働きを考えれば、内的および外的環境をフィードバックするループが構築され、それを意識と呼んでいる、とするとらえかただ。偶然の産物であってもなくても、実によくできたからくりで身体全体が制御されているのは驚くばかりだ。

人間とは異なる種類の生命体について考えてみるとき、人間の知性をいわゆる宇宙人の姿に重ね合わせるだけが方法ではない。人間はしょせん一つの道筋にすぎない。

映画「メッセージ」、またはテッド・チャンによる原作『あなたの人生の物語』（早川書房）にも目を通してほしい。なぜかがわかるはずだ。

フロイト

パーソナリティ

時間や日によって、あるいはもっと長いスパンで見て、何人もの違うバージョンの自分がいると感じることはないだろうか？　あるときはおおらかに楽しくしていたと思えば、別のときには粛々と規則に従い自分に厳しい態度をとる、そんな自分を自覚したことはないだろうか？　さかのぼること100年以上前、ジグムント・フロイトはこの点に気がつき、興味をひかれた。

彼に先立って心理学を開拓した哲学者はいないと言ってしまうのは公平ではない（ヒュームの残した功績は大きい）ものの、心理学を今日研究されている独自の分野に発展させた先駆者の一人がフロイトであるのは間違いない。

フロイトは人間の心は自我（エゴ）、イド（エス）、超自我（スーパーエゴ）の三つに分けられると考えた。

自我は理性ある意識の声、今この文章を読んでいる部分だ。頭の中を流れている語りの部分といっていい。

イドは原始的、動物的な欲求が含まれる。性的な欲望、衝動、リビドー（本能的な欲求)。深く、衝動的で、人間を行動へと駆りたてる。

超自我は人間の「道徳的判断」、本能を取り締まる心の装置で、良心にも近く、禁止、規則、構造、罪の意識に関連する。

フロイトによると、「神経症」の問題はこの三つの領域のバランスが崩れたり、不調和を起こしたりしていることに集約されるという。過度のイド、超自我の欠如、自我の弱さ、などだ。フロイトの精神分析療法では、心の中に隠され埋もれたこうした要素を解きほぐし、バランスの再構築を目指す。

フロイトは性の抑圧にとらわれすぎているとも評されるが、これは神経症の一つの形にすぎない(超自我がイドを支配した状態)。性にとらわれた状態も同じく神経症(過剰なイド)だ。フロイトに言わせれば、信仰心の篤い人は超自我を肥大化させて神にまで到達させた(152ページ参照)タイプの神経症、となる。

フロイトと彼の精神療法が「父親像」を重視する理由はここにある。子ども時代、親や教師は超自我を体現し、それを確立するための存在となり、イドの目覚める思春期にはそれに立ち会う導き手となる。

現代の科学ではフロイトの概念を科学的な裏付けに乏しいともみるが(フロイトの理論には実際の実験による裏付けがほとんどない)、内省、療法、考察の基本的な考えかたとしては有効だ。人間は本質的な衝動と向き合わねばならないときもあれば、規則や体系、秩序に従うことを選ぶときもある。ともあれフロイトの精神分析論はやはり非常に興味深く、この直感的なおもしろさこそ、フロイトが今も多くの人に影響を与えるゆえんなのかもしれない。

ピアジェ

発達心理学

あるはずの鍵が見つからないとき、もう永遠にどこか彼方へ消えてしまったのだ、と思うだろうか。互いにかなり離れて立っている人が3人、集まっている人が3人いた場合、どちらが多いと考えるだろう？　船が水に浮かぶのなら、ここにある船の形をしたおもちゃも浮くはずだ、と思うだろうか？

7歳を超えたみなさんなら、おそらく正しく答えられたのではないかと思う。とはいえ、最初からそうすんなりいったわけではない。スイスの心理学者ジャン・ピアジェによれば、これらの答えは生まれつき身についていたわけではなく、子どもの発達過程においてある段階で学習すべき事柄なのだ。ピアジェの研究をひもとけば、人間の心の働きに対する理解が深まるだろう。

子どもたちが実際にどのように学習していくのか、発達心理学者として実験を通して研究した先駆けの一人がピアジェだった。それまでは、乳児はいわば小さな容器で、外から知識を注いでやるしかない、と認識されていた。ところがピアジェは乳児の脳についてまったく違う説を展開してみせた。実際に自身の子を含む子どもたちの様子を観察し、識者のあいだに衝撃をもたらしたのだった。

ピアジェは研究の結果、乳児の頭はいわば統計を使った推論装置である、との理論にたどりついた。0歳から2歳までの「感覚運動期」にある子は、触る、聞く、見るといった感覚を使って世界の要点は何かを判断していく。あらゆる感覚を使い、刺激されて、この世でまず取り組むと役に立つものとそうでないものを振り分ける作業だ。例えば赤ちゃんは人間の言語に使われる600の音素を生まれながらにしてすべて感知できる。だが1歳になるころには、母語となる言語でよく耳に入る音素だけに絞られる（英語の場合は50ほど）。観察の反復を経て脳内のシナプスと神経経路が強化され、固定されていく。

この段階では、観察した内容を内面化し、世界のしくみやなりたちの「概念表象」を形成する。月齢が進むと、観察結果を意識的に実験してみる。手に持っていたおもちゃを放して落ちるか確かめるのはその例だ。たとえ親が「うちの子、絶対に私を困らせようとしてやってる！」と確信したとしても、子どもは自分の仮説を確かめているだけなのだ。

その後、さらに三つの段階で学習と発達を重ね、さらに複雑な概念を獲得していく。例えば、水は細くて背の高いグラスに入れても丸くて背の低い容器に入れても同じ水である、という「保存」の概念、もう少し後になると、XとYに共通点が一つあるなら他にも似た点があるかもしれない、と類推する「推移律」の概念などがある。こうした概念が他のさまざまな論理や哲学の基礎をなしている。

ピアジェが革新をもたらしたのは主に幼少期の発達過程についてだが、その研究は人間とは何なのかを教えてくれる。動物界において人の脳はもっとも大きいわけでも効率がよいわけでもないが、人間は他の動物よりも長い時間をかけて発達する。そして手に入れたのが精神面の高度な適応性だ。人間はあらゆる環境に適応でき、どんな世界でも機能する術を身につける。人間の心はそのすばらしい柔軟性こそが特徴だといえる。

ゲシュタルト療法

空白をつくる

人生はとかく容赦のない喧噪だ。あまりに雑音にあふれているので、立ち止まってひと息つき、じっくり考えるのは難しい。内面の奥深くにいる静かな自己は、頭の中でせわしなく鳴り響く思考の渦と旋風に脇へ追いやられてしまう。森の中にぽっかり開けた空き地のような、そんな場所が必要だ。ゲシュタルト療法が「豊かな空虚」に見いだしたのはまさにこれだ。

ゲシュタルト療法は実存的現象学の影響を強く受けている。実存的現象学は「生きられた経験」、すなわち実際に見えている世界をめぐる哲学の分野をいう。ゲシュタルト療法では今この瞬間の経験を重視し、過去や記憶、みずから課した自己認識といった重荷をできるかぎり除くか、その影響を弱めることを目指す。過去のある時点で感じたこと、起きたこと、人が自分をどう思うかなどは問わない。問いかけるのは、今、ある状況に身をおくとどうなるか、それが今この瞬間の自分にとって何を意味するのかだ。とにかく今に目を向ける。

したがって、子どものころのしつけがどうだったかをたずねる（フロイトの手法ならこれかもしれない）のでなく、ゲシュタルト療法では親について今どう思っているかを聞いていく。現在を解きほぐし、過去は助けより重荷とみるケースが多い。過去はラベル付けや、自己認識の固定化、口に出すことによる現実化を招く。ゲシュタルト療法は前を見つめ、後ろは振り返らない。

ゲシュタルト療法では目の前の今を深く集中して見つめることが求められるが、何事もペースの速い生活ではそうして時間をかけ、意識を向ける行為に違和感を覚えるかもしれない。難しくもあるだろう。「いま、ここ」に集中しようとする（他の界隈では「マインドフルネス」と呼ばれている）と、得てしてそれまで築いてきた壁や日常のルーティン、依存している事柄が立ちはだかり、邪魔をするからだ。

だからこそ、「建設的な破壊」に取り組まなければならない。自分にとって、自分の人生の中でここは触れられないと思っていた部分も容赦なく掘り起こし、まっさらな空白のページとして自分を見つめる。また一からパズルに取り組み、空虚を、何もない空白を受け入れ向き合わねばならない。

豊かな空虚とはこの空白を指す。退屈な空白ではなく、「これをやらなきゃ」「これに集中しなくては」という意識が存在しない状態だ。電源をオフにし、ドアに鍵をかけ、あるいは友人に「今は静かにさせて」と告げた状態。心の中のごちゃごちゃを意識的に取り除き、空いたスペースにはやがてクリエイティブな、力強い、すばらしい何かがわき出てくる。

豊かな空虚が告げているのは、花を咲かせるには土を耕さなくてはいけないということだ。それは新たな趣味かもしれないし、新しいスキル、人間関係、これまでになかった視点かもしれない。空いた空間と時間があってこそ、新しい何かが育つ。かけがえのない、人生を変えるような何かが。

意識的に無の境地をつくり出すのは簡単ではないし、勇気もいる。社運をかけたプロジェクトの最中に上司にノーと言えるだろうか。長年続けてきた習慣を断ち切れるだろうか。たった今、スマートフォンに通知がきたのでは？　だがこの無の境地にこそ心の平静とある種の啓示をともない、ひいてはそれが豊かな空虚と向き合うことをその重み以上に大きな価値あるものにしてくれる。

日常の哲学

すばらしい哲学を耳にするのは、時に夜おそく、場合によってはグラスを傾けながら、誰かとなにげない会話を交わしているときだったりするものだ。きっかけは「なんでみんなこうするんだろう？」「こう思ったことない？」といった疑問に始まり、そこから展開していく。

哲学は人生のあらゆる側面に顔を出し、必ずプラスになってくれる。

日常の哲学は、日々の普通の暮らしの中で誰もが抱く思い、誰もがしていることについてあらためて深く考えさせてくれる。

アリストテレス

友情

　ある人にはあの話を伝えたのに、もう一人には別の話をするのはなぜだろうか。人生のある時期を「私たち親友だよね！」とわかちあった相手が、ある日気がつくと離れてしまっていたりするのはどうしてだろう。

　万学の祖、アリストテレスなら答えをもっているかもしれない。

　偉大な著作『ニコマコス倫理学』には友情をめぐる記述が多くみられる。アリストテレスは理想的な究極の生活（エウダイモニア）によき友人は欠かせないと考えたためだ。同書では友情（友愛）を有用、快楽、善の三つに分類する。この中で最後の一つだけが真に求めるべき、何より大切にすべきものだという。

　有用ゆえの友は、なんらかの目的にかなうがゆえの友だ。毎日一緒にランチに行く職場の同僚や、週末に趣味のスポーツで会うチームメイトが該当するかもしれない。転職したりチームを離れたりするなど、目的がなくなればつながりは薄れてゆく。

　快楽ゆえの友は一緒にいて楽しい相手をいう。話がおもしろく、よく笑う。話題のミームはすかさずシェアし、笑いのツボを完璧にわかってくれる。閉店時間までははしゃいで踊り、夜中の3時に隣にすわってハンバーガーをかじってくれる。でも年齢を重ねたり、生活が変わったりするにつれ、こうした友人はやがてだんだん疎遠になり、楽しかった記憶とノスタルジーの中で永遠に生き続ける。

善ゆえの友人はあなたに幸せでいてほしい、いきいきと過ごしていてほしいと願う。「彼はあなたにはふさわしくないんじゃないかな」「その仕事のポジション、あなたなら絶対やれるよ」と言ってくれる。あなたの秘密を絶対に他言しないし、あなたが涙したときはそばにいてくれる。あなたを悪く言ったりせず、いつも信じてくれる。

こうした友こそ求めるべきであり、そのためなら戦い、出会えたのなら手放さないようにすべきだとアリストテレスは説く。

もちろん、一人の人が三つの要素を備えることもあれば、どれか一つにあてはまる場合もあるだろう。アリストテレスは有用な友や快楽の友が不要だとは言っていない。ただ、そうした性質の存在であることをわかっておくべきだと説く。

真に善ゆえの友には常に誠実をつくすことだ。そんな友の存在が、あなたを可能なかぎり最良の自分にしてくれるのだから。

ボーヴォワール

母性という神話

母親になるということは、人生をがらりと変えるすばらしい経験だ。そこからアイデンティティや充足感、意義を得る人は多い。それまでの人生を解体し、根本から構築し直して、母親である自身の存在をまるごと別の人間の生に、自身の子どもに、注ぎ込む。

ボーヴォワールはこうした態度のすべてが母親であることを危ういものにしているととらえた。母性と呼ぶものはよくよく注意して扱わなければ母も子も傷つける、と警鐘を鳴らした。

フランス実存主義を代表する一人だったボーヴォワールは1949年、『第二の性』（新潮社）で、人間、なかでも特に女性は、社会があてがおうとしてくるアイデンティティやラベル、神話を乗り越えねばならないと明快に訴えた。女性の場合、この世に生まれた瞬間からそれは始まる。社会を支配する「神話」、「女」を不当に定義しようとする有害な「神話」の解体を『第二の性』は目指した。その神話の一つが「母」だとボーヴォワールは指摘する。

母性という神話では女性を「生まれながらの養育者」とみなす。そこでは子をもつことに女性の本質のすべてが振り向けられる。惜しみない愛をイエスに注ぐ聖母マリア像に体現されるように、母親たる者は究極の利他的な純愛にのっとって生きることを期待される。だがボーヴォワールは「母性本能は神話である」と断言する。女性は母になることを選ぶのだ、と。

母になる選択をした女性は、子との関係において自身を再定義するとボーヴォワールはみる。わが子をコントロールする中で、まず両親、次に夫、そして広く社会全般によって否定されていた、自分には力がある、自由があると思える感覚を与えられるからだ。自分は何者であるかのアイデンティティのすべてが「母であること」に集約され、自身の夢や自由は「生まれながらにして母親」神話の犠牲に捧げられる。

この実態は好ましくない形で現れる。例えば母親が「こうなれたかもしれない自分」の身代わりとして子どもを利用するがゆえに、操り人形を操るように子の人生を自分の人生として生きるケースもあるだろう。自由がきかない束縛された生活になった原因を子どもに見いだして腹立たしくなり、わが子を怒ったり邪険にしたりするかもしれない。身勝手なルールをつくって振りかざすことによって、奪われた自由や力が自分にもまだあるんだと思おうとするかもしれない。

さらに、母親であるというアイデンティティは必ず一定の期間に限られる。子はいずれ個人としての自由と独立を求めるが、母親が抑えつけたりまとわりついたりして阻止しようと試みるかもしれない。だからこそ、子を「母親の地平の限界としてはならない」のだ。

母性は複雑であり、母性をめぐる感情が込み入ってとらえづらいことをボーヴォワールはわかっていた。現在では、産後うつの存在や、母親としてのありかたは一様に決めつけられないとのとらえかたが以前より広く認知されている。ボーヴォワールの考察に同意するしないは別として、一つ確かにいえるのは、「こう行動すべき」「こう感じるべき」と特定の形を押しつける「神話」は何であれ警戒すべきだということだろう。

ルソー

よい子ども時代とは

子どもの何が困るかって、とにかく大人と違って聞き分けがないことだ。静かにしなくてはいけないときに騒ぐ、寝る時間なのに寝ない、わけのわからない質問をぶつけてくる。それに、ためになる本でも読んでいるべきときに外へ出たがるのはなぜなのか。

ジャン＝ジャック・ルソーが1762年に発表した『エミール』で展開したのは、こうした声への反論だった。

人間は生まれながらにして根幹の部分は優しく穏やかで、気高いものだという信念をルソーは抱いていた。人間を堕落させるのは社会なのだ。自分本位で自己愛のはびこる社会が、人間が本来持っている性質を変容させてしまう。しかし子どもたちは（今の段階ではまだ）堕落していない。人間のいちばん純粋で最上のかたちが子どもだ。それを守り伸ばしてやるのが、社会、そして子に授ける教育の務めだ。

幼少期は単に大人になる前に必要な下位の段階、とみなしてはいけない。子ども時代は子ども時代で尊重し大切にすべきなのだ。どうでもいいささいな事柄を子どもの頭に詰め込み、静かにじっとしていろと強要する必要がなぜあるのか。そんなことは大人になってからやればいいではないか。

子どもは12歳になるまで本を読まなくていい、とルソーは考えた（ただし『ロビンソン・クルーソー』は例外）。子どもは遊んだり、好きなだけ動きまわって探検したりすべきで、同時に失敗したり悩んだりしてまた立ち直ればいい。自分のエゴより他者との関係が大事なこと、力と力をぶつけあうよりも言葉で議論を闘わせる方が世界はよくなることを学べばいい。

何より大切なのは、子ども時代には子ども時代ならではの形で、自分のペースで大人になればいいということだ。遊びはそれ自体がよい結果だと受け止めるべきなのだ。自由に走りまわり、思いきり楽しみ、無限の好奇心をもつ子どもを、スーツを着てむすっとした深刻ぶった大人に急いでさせようとする必要がなぜあるのか。いずれ何十年後かにそうなろうとするのに？

子どもの浅慮なふるまいが不満な大人にルソーは問う。何が悪いのだ？　いつから喜びは避けるべきもの、大人になって「卒業」するべきものになったのか。大人はなぜ、笑い声を静め、好奇心の芽を摘み、率直なやわらかい心を硬直させたがるのか？

愛され、自由な精神を培った子は安定した幸福な大人になる、というのがルソーの論だった。ルソーは母乳哺育を推進した先駆けであるほか、健全な情緒の発達には親子の強い結びつきが必要だと熱心に説いた（乳母や保母が一般的だった18世紀当時の慣習に対する異議）。愛情が愛情を育み、幼いころの人とのかかわりあいがのちにその子の気質を決めると考えた。

ルソーが革命を起こし、「子ども時代」を今日の姿に変えたといっても大げさではないだろう。ルソーは子ども時代を目いっぱい生きて楽しむべき一つの段階であるとみなした。フロイトや精神分析学が登場するずっと前に、幼少期は人間が発達し成熟するのに不可欠だと提言したのだ。だが、それから時代は変わったのだろうか。笑いころげて止まらない子どもたちにあきれ顔をしたり、いつまでも興奮さめやらない子どもたちにいらだったりしていないだろうか。ルソーから300年が経った今も、子どもたちを単なる未熟な大人扱いしていないだろうか？

フーコー

規律

一人の女性が上司の向かいに座る。内心びくびくしていて、心もとなげだ。「今期のパフォーマンスを見せてもらいました」上司が切り出す。「クライアントとの関係を強化する必要があるように感じます」そう聞いて、彼女はほっとしてうなずいた。よかった、そんなにひどくなかった！　昼休みに書店で『クライアントとの関係強化術　入門編』という本を買ってきた。週末はこれを読んで、次の査定に向けて備えよう。

フランスの哲学者ミシェル・フーコーによると、現代社会の権力関係はこうして築かれるのだという。

1975年の著書『監獄の誕生――監視と処罰』（新潮社）でフーコーが論じたのは監獄制度についてだが、考察はすぐに広く社会全般にあてはめられ、議論された。今日の社会における権力は、大きな棍棒や銃、屈強な護衛を必要としない。もっとずっと狡猾だとフーコーはいう。権力を行使するための手段としてフーコーが挙げたのは、「階層秩序的な監視」「規格化を行う制裁」「試験」の三つだ。

階層秩序的な監視とは、監視されているだけで人間の行動はコントロールできるとする理論のこと。フーコーが用いたのは「パノプティコン」（ベンサムが考案した円形刑務所の名称）の概念で、全体を見わたせる監視用の塔を中心に設けた監獄を指す。塔に監視者がいてもいなくてもいい。（監視カメラのように）なんらかの権力から監視されているかもしれないという不安感や疑念があるだけで、人の行動を支配できてしまうのだ。

規格化を行う制裁は、何をもって許容範囲の「規格内」とするかを決める権利が権力をもつ側に与えられていることを示す。するとあらゆる人が、この小さな型にあてはまらない人間を裁く側につく。何を「規格内」とするかは、例えばエチケットやドレスコード、言葉づかい、さらには認められる思想、野心、会話における話題を通して強化される。この規格から逸脱する人には「普通じゃない」「変わり者」「おかしい」などとラベル付けをする。

試験は先の二つをうまく組み合わせた方法で、フーコーのいう「権力／知」の例だ。試験では権力を示しつつ（「この適性検査を受けてもらわなくてはいけない」）、真理の確立も担う（「あいにく認められる答えはこの一つだけだ」）。試験が権力の行使になるのは、試験を受ける側の人間に対し、勉強して自分を変えるべく能動的に行動を起こすようしむけるがゆえだ。試験はまた、権力者が「真理」とする同じ確立された答えをあらためて確認する意味もある。権力に従えば輝かしい「合格」が与えられる。従うつもりはないと拒めば、「不合格」の烙印を押される。

次に査定や試験の類を受けるときは、どんな力関係が働いているかを見きわめてみよう。特定の考えかたやふるまいを強要される、誰かがあつらえた型に収まるよう求められる――それが権力の行使でなくて何だろうか？

ストア哲学

俯瞰する

私たちが抱える心配ごとの多くは、頭の中がとらわれてしまうことから起きる。意識が何かにとりつかれる、パニックになる、執着する、小さなことを大ごとにとらえる――そんなとき、思考は何倍にもふくらんで、他のすべてを押しつぶす。他の思考や感情は追い出され、苦しい思いばかりが押しよせる。まっとうな声、希望を見いだす前向きな小さな声は拾われず飲み込まれてゆく。

古代ローマ皇帝でストア学派の偉大な哲学者でもあったマルクス・アウレリウスはこれについて、実践的な対処法を記している。上から見下ろしてみよ、というものだ。

考えかたとしては、まず自分の頭上にふわふわ浮かんでいる自分を想像する。しゃがんでじっと考え込むのでなく、自分の頭から距離をおいて物事を上から見下ろしてみる。第三者視点でプレイできるゲームの世界にいるか、監視カメラで自分を見ているところをイメージしてほしい。ここからズームアウトして、さらに上から俯瞰していく。グーグルマップのようなものだ。地球の上にいる自分を見る。自分が宇宙の中の小さな点になるまで遠ざかる。アウレリウスいわく「あらゆる物質をそっくりそのまま受け止めよ、あなたが手にするのはそのごくわずかにすぎない。壮大な時間すべてを受け止めよ、あなたに与えられたのはほんの一瞬にすぎない」

しばらくそこにとどまってみよう。何が見えてくるだろうか。歴代の帝国が抱いたつかの間の野望の数々を笑えばいい。上から見下ろすとまるで神の視点みたいだ。そこで今度は自分の視点に戻ってみる。すると、「心を煩（わずら）わせてきたたくさんの無用な事柄から自由になれる」。また「誕生から死までの時間は実に短い」とあらためて気づかされ、たとえ自分にとっては大きくても、あらゆる悩みはしょせん宇宙全体、無限の過去と未来に照らせばちっぽけなのだと感じる。これはのちにスピノザが「永遠の相の下に」と表現した境地であり、大局的に見ればとるに足りないことだと客観的にとらえ直す視点なのだ。ローマ帝国もアインシュタインも上司からの怒りのメールも、170億年前から存在する生命をもたない隕石にとってはどちらでもいい。

現代の心理学ではこれを「距離化」と呼び、離れた視点から自分の気持ちや考えを見つめる手法をいう。目の前の経験に圧倒され身動きが取れなければ、距離をとるのは難しい。自分を映画や本に出てくる人物の一人だと考えれば、自分自身を見つめ、判断を下せる。すると、自分が望む方へと思考や反応、行動を誘導しやすくなる。ひと呼吸入れ、理にかなったまっとうな決断を出す余裕が生まれる。

頭の中の考えにとらわれて息が詰まってしまったら、ストア学派のように高いところから見下ろして、永遠の時間の観点から物事を見つめ直してみよう。抱えている悩みや不安もそれほど大ごとではない、取るに足りないことだと思えるかもしれない。その過程の中で、人生にどう対処していくかを自分で舵取りするために不可欠な俯瞰ができるようになるはずだ。

フロイト

死の欲動

何かを破壊せずにいられないような衝動を覚えた経験はないだろうか。「われを忘れて」かっとなったことは？　殴りかかったり、大声を上げたり、蹴りを入れたり、壊したりしたくなったりすることは？　世界の終末について想像力を働かせすぎたせいだろうか？

フロイトもこの現象に目をとめた。のちに著書で考察を深め、この衝動を「タナトス」（ギリシャ語で死の神の意）と名づけた。死の欲動（衝動）を意味する。

フロイトは第一次世界大戦を経て、なぜ人間は当時に限らずいつの時代もここまで破壊的になるのかを解明したいと考えた。

たどりついた答えが、命あるものはすべて、何かが朽ち、崩れ、消えてゆくのをこの目で見たいという欲求を根本のところでもっているから、というものだった。万物はエントロピーへ向かう本質的な傾向を有し、そこでは複雑な構造物（頂点に生命が位置する）がシンプルな形に回帰したいと欲する。すなわち破壊だ。

人間でいえば、自分自身も世界も破壊したいという欲求としてこの本質が表れる、とフロイトはみる。人間が抱く強迫観念や不安、落ち込み、その他あらゆる神経症の類はこの破壊的な死への欲動を基礎とし、この欲動が内面へと向かう。破壊しよう、自己を傷つけようとする本能的な欲求だ。

万物は死によるシンプルな状態を希求し、一方ですべて生あるものはそれに逆らう。生きようとする人間の欲動（フロイトの言葉でいうエロス）は体系全体において異例なのだ。なぜ私たちはそんなに生きようとするのか。フロイトは著作のなかで、人間の生きようとする強い意志はある種の信仰なしには説明がつけがたいと明言する。フロイト自身も解明を試みてはいるが、難解かつ不明瞭なところがある。

人間はそれぞれ、生と快楽を求める欲動（エロス）と、単純かつ無機的な状態に向かおうとする死の欲動（タナトス）、二つの方向に引っ張られる。

どちらの衝動も緊張状態からの解放であるとフロイトはとらえた。エロスは快楽をもってはけ口とし、緊張を払拭（ふっしょく）する。一方タナトスは試合から降りる。人間は緊張状態など望まない。そもそも死者はもはや苦しみを感じない。

どちらの欲動も強力であり、片方が優勢になるともう片方は姿をひそめる。エロスは性、笑い、人との交わりを求め、タナトスはリスク、自傷、場合によっては死まで求める。一日の中でさえ、両者の間で振り子のように揺れ動く。

世界の終末をあれこれ議論するのはなぜ楽しいのか。飲んだり食べたりしながら、楽しく安全にタナトスに身をまかせていられるからだろう。

フランクル

苦しみに意味を見いだす

人生に苦悩は尽きない。運がよければ、それは失恋や身近な人との死別、治癒できる程度の病などだろう。だが時には精神への大きな打撃や、身体を徐々にむしばむ重篤な病、想像を絶する苦しみに見舞われることもある。それでも、ドストエフスキーが書いたように「人間はどんなことにも慣れる存在」だ。恐るべきほどの耐え抜く力をもって状況に適応する、強さと柔軟性を備えた種なのだ。

オーストリアの精神医学者で心理学者であり、アウシュヴィッツの強制収容所を生き延びたヴィクトール・フランクルは『夜と霧』（みすず書房）でこの点を掘り下げ、人がなぜ耐え抜くことができるのかについて思索を深めた。

人間は意味を見いだせばどんな苦しみも耐えられる、とフランクルは説く。もうこれ以上は無理だと思う地点に達するのは、この先へ進む理由が見い出せなくなったときだ。ニーチェの言を借りれば「なぜ生きるかを知っている者は、ほぼどんな『どう生きるか』にも耐えられる」のだ。

であれば、われわれは苦悩の中に意味を見いださなくてはならない。それぞれが苦しみを耐え抜く理由を見つけようとしなければならない。人間は一人ひとり「人生に問いかけられ」ていて、それぞれが「その都度、自分一人で」答えねばならないとフランクルは説く。誰にでもあてはまるような明白な救いへの道はなく、各人がそれぞれの人生の苦しみに自分なりの意味を定めるしかない。その人が自分にとっての意味を見つけられるよう他者が手を差しのべたり導いたりはできても、その人が必要とする意味を他の誰かが与えることはできない。当人だけのものだ。

フランクルはこんな例を挙げる。長年連れ添った妻に先立たれた夫が悲しみに打ちひしがれている。あるとき夫はこう問われた。「もし一人残されたのが妻だったら、どうなっていただろう？」すると夫の悲しみには意味が生まれた。自分は妻の代わりにこの悲しみに耐えている、そう思うと誇りをもって悲しみに向き合える。苦しみを消し去ったわけではない。日々深い悲しみを抱いていることには変わりない。だがそれを背負ってゆくすべを得たのだ。

私たちは悩みや苦痛はできるだけ早く消し去るべきものととらえてきた。しかしそれではそこに意味は見いだせない。鉄が槌（つち）で打つと強くなるように、苦悩は心に作用し、アイデンティティを培う。そうしてたどりついた結果を誇るべきなのだ。フランクルいわく「苦悩する現代の人は、苦しみを誇りとし自身を高めてくれるとみなす機会がないに等しい」。考えてみれば、人々の模範となるような偉大な人物は試練を乗り越え克服した人であって、見映えを飾り快楽の人生を送った人ではないだろう。逆境をはね返す不屈の力が人を偉大にする。

人は得てして、苦しみは充実した人生の妨げだとみなしてしまう。だがフランクルはいう。「苦悩と死がなければ人の人生は完全なものにはならない」。人生のあらゆる経験はみずから引き受け背負うものだ。人間は苦悩を通じて形成され、そこに見いだした意味は決して奪われはしない。私たちは耐え抜いた数々の経験を携えて誇りにしながら生きていけるし、そうあるべきではないだろうか。

エピクロス

快楽

優れた哲学はときにきわめて簡潔だ。重厚な大著にひっそり埋もれた難解な三段論法や延々と続く議論ではなく、例えば人生の意味はたった一つに集約できるのではないか？　すなわち楽しめ、思いわずらうな——これがエピクロスの教えだ。

近い関係にあるストア派の禁欲主義、キュニコス（犬儒学）派の冷笑主義（シニシズム）と同じく、エピクロスの快楽主義も誤った解釈がされやすい。エピキュリアンというと、酒と食をむさぼり、金を浪費し健康をむだにする空虚で浅薄な不届き者、放蕩者、道楽者といった固定観念がある。しかし例にもれず、実際のところはもっとずっと深い。

エピクロスは、アリストテレスのエウダイモニア（幸福で満たされた人生）の概念、また同じギリシャの哲学者エピクテトスによる、物事をあるがままに受け入れる境地を説くストア派の考えかたに影響を受けた。エピクロスは快楽を最高善とし、行動や思考はすべて快楽を得られ苦痛を避けられる方を目指すべきだと説いた。

この最高善を実現するには、浮わついた欲求を抑え、人々が信仰するうわべだけの浅薄な物質主義をやめるのが唯一の道だとエピクロスは説いた。現代のスマートフォンやビッグマックは確かに欲求を満たしてはくれるが、友情や愛情がもたらす大きな喜びとくらべれば色あせる。

それを踏まえ、エピクロス派では徳や正義、優しさの美点がおおいに奨励された。利他の精神は万人に利するため、真のエピクロス派は他者に心をくばる。自分の行動はすべて自分に返ってくるからだ。友愛に満ちた世界に暮らすに勝る快楽はない。利己的なカルマといってもいいかもしれない。

そんなエピクロス派の節度とつつしみの価値観は、現在の私たちが思う快楽主義の哲学とはかなりかけ離れている。

エピクロスのもとに集った人々は、苦痛を減じ快楽をもたらすべく設けられた学園「快楽の園」でともに生活した。そこは乱痴気騒ぎが繰り広げられるいかがわしい隠れ家どころか（エピクロス派は性的な交わりは自然なものととらえたが）、瞑想と思いやりに満ちた花園だった。政治とも距離をおき（政治的な議論が災いを招かないことなどない）、歴史上もっとも早い時期に無神論的な思想を唱えた人々ともいえる。エピクロス派は神と死が恐れや苦悩を引き起こす最大の要因とみなし、死後の世界の存在も信じなかった。エピクロスの言葉に「私は存在しなかった。それから存在し、今はもう存在しない。私は思い悩むことはない」とある。現代でも無宗教の葬儀でよく唱えられる一節だ。

下って中世のころ、エピクロス派が激しい中傷の的になったのはおそらく無神論的な思想のせいだろう。ストア派とキュニコス派を足したよりも激しく、キリスト教会はエピクロス派を標的にした。

エピクロスの思想はシンプルでありながらかように深い。できるところで楽しむがいい。われわれはいずれ確実に死を迎える。そのときはもうここにはおらず、思い悩むことはないのだから。

フッサール

現象学

いま目の前にある物を一つ選んで、できるだけ詳しく言葉で説明してみてほしい。時間をかけてみよう。手にとって、重みを感じてみる。匂いをかぐ。頬にあててなでてみる。色と柄はどんなだろうか。もしその気なら、味を確かめてみる。その物体をどう体感したかを記述し、その経験に身をゆだねてみよう。

これがドイツの哲学者エドムント・フッサールの「現象学」の世界だ。

「現象」という言葉はカントが広め、その後オーストリアの哲学者ブレンターノが現象学への道を開いたが、19世紀後半から20世紀前半に活躍したフッサールが現象学の祖とされる。現象学は学説というより、身近な対象を自分の目に映るとおりにつぶさに見つめ、世界を経験する手法だといえる。

フッサールは古代ギリシャの「エポケー」（「判断停止」の意）という語を用いて、われわれは「何が真実なのか」のような問いかけをやめ、みずからの経験に意識を集中するべきだと説いた。人間はいろいろな場面ですでにこれを実践している。例えば音楽を聴いているときはその感覚と時間に身をゆだね、音波のしくみなどについては考えない。どんなときも、どんな経験も、そうして受け止め味わうべきなのだ。休みの日、こめかみあたりに片頭痛を感じながらワインの最初のひと口を味わう瞬間などもまさにそうだろう。

あらゆる意識は必ず何かについての意識である、とフッサールは述べた。心はいわば自身のはるかかなたを見つめる望遠鏡のようなものだ。目は外に向けられて対象を見るが、目そのものを見ることはできない。あり得ないことが起きて、もし誰かの心を乗っ取ったとしても、やはり世界に、あるいは木や手やテレビに向けて、たちまち放り出されるだろう。心は外に向かうもので、惰性を許さないため、常に意識を向ける対象を必要とする。

現象学が備える癒しの要素には知恵がある。自身も現象学を取り入れたカール・ヤスパースは、現象学は「私を目覚めさせ、本来の自分を取り戻させ、変容させる」と述べた。ストア派が意識を向けるときの手法や、現代的で支持を集める「マインドフルネス」の実践も、現象学に通じる部分がある。

心を分類し類型化するだけの込み入った学説や「なんとか主義」は頭から消してみよう。見えているものに意識を向けよう。サルトル『嘔吐』の主人公のように、公園のベンチを見つけて「吐き気を感じる」ほど木を見つめてみよう。エポケーに身をゆだね、真理なのか現実なのかといった答えの出ない問いは脇に置いて、目の前の細部を全身で味わってみよう。

ストア哲学

どう受け止めるかは自分次第

同じギリシャ哲学の学派であるエピクロスの快楽主義、キュニコス（犬儒学）派の冷笑主義（シニシズム）と同様、もとはストア派の禁欲主義からくる「ストイック」の語は、本来の哲学がゆがめられて使われている例だ。今の私たちが「ストイックな人」と聞いて思い浮かべるのは、冷静沈着で心を動かされることのない、クリント・イーストウッドのようなタイプ、生身の人間というより人型の素焼きの焼物のようなイメージだろうか。だが本来のストア派の禁欲主義はもう少し複雑だ。

ストア哲学では、万物、あるいはわれわれが「客観的事実」と呼ぶものはすべて、それ自体によい悪いや価値のあるなしは存在しない、とする立場を原点とする。世界の事物をよくも悪くもするのは主体である人間であって、人間が価値を付与しているのだ。

ハムレットの台詞にも「物事によいも悪いもなく、考えかた次第でよくも悪くもなる」とある。映画で考えてみよう。映画は音声と映像を集めてまとめ、暗室の大きなスクリーンに映して見せるものだ。見終わった帰り道、「あー、つまらないものを見せられたなあ」と言うのは主体であるあなたなのだ。もう一つ例を挙げてみよう。あなたはスーツ姿の上司から部署を移るよう告げられ、もっと仕事をしてもらいたいと言われた。これが事実だ。一連のできごとを感情や反応に変換し、帰宅して「ねえ、今日から私、昇進しちゃった！」と言うのはあなた自身だ。

世界そのものには特に価値がないとすれば、主体である私たちは二つの形で物事をさばく。どう行動するかと、頭の中でどう反応するかだ。それ以外の一切は、他人の判断や言動を含め、すべて自分の力のおよばない範囲と受け止めなくてはいけない。

このようにとらえれば、変えようのないものを変えようとするがゆえに生じる苦悩を手放せる、自分で変えられることだけに注力すればいい、とストア哲学では考える。自分たちの限界を認識した上で、それ以外のことについて主体的に取り組もう、という提言だ。

知り合いが失礼な言動をした事実はあなたには変えられない。でもその事実をどう考え、どんな反応をするかは自分次第で変えられる。「あの人のせいで私は怒っている」と考えるのと、「あの人には私を怒らせるようにさせておこう」と考えるのではだいぶ違う。後者は自分の受け止めかたを自分でコントロールしていることになる。

ユダヤ人強制収容所から生還したヴィクトール・フランクルいわく、「もはや状況を変えられなくなったとき、自分を変えられるかどうかが試される」。ストア派の禁欲主義は多くの点で実存主義に広く影響をもたらしているほか、仏教の教えや、仏教を西洋の思想に取り入れたショーペンハウアーの哲学の核にもなっている。

現在、ストア派の哲学が重要性を発揮しているのは心理療法、なかでも認知行動療法の分野だ。認知行動療法はネガティブな思考パターンや行動の修正に非常に大きな効果があり、「トリガー→判断→思考→行動」のサイクルを見つめていく。これを通じて、自分で変えられる、影響をおよぼせる領域、特に最後の二つに意識を集中することができるわけだ。ストア派の哲学は誕生から2000年以上を経た今もこうして息づいている。

ソロー

歩くことの意義

あなたにとって、元気を回復してくれるものは何だろう？　さまざまな不安や悩み、気がかりなことや心配ごとを抱えた心を軽くしてくれるのは何だろうか。誰でも一つはそんな何かがあるのではないだろうか。そのなかでも何より哲学が関係する背景があるのが散歩だ。こつこつと歩を進める、いわば実直なメトロノームだ。

ささやかな散歩のすばらしさをたたえた哲学者は多いが、米国の著作家で環境保護活動家の先駆けでもあったヘンリー・デヴィッド・ソローの右に出る者はいないだろう。1851年刊行の『歩く』の中で、ソローはただ歩くのと「さすらう」の違いを明確に示している。

歩くことは手段であり、実用であり、特におもしろいわけではない。私たちが歩くのは何か別の目的のためだ。買いものに行くため、運動するため、祖母に会いに行くため。だがソローのいうさすらいは意図してぶらぶらと歩く。歩くことそのもの以外の目的はない。

さすらう者は家庭での生活も、心配も悲しみも置いていく。「縛られず自由にさすらう人」として、「どこにいてもわが家にいるのに等しい」。木陰の道も、起伏のある丘も、木々に包まれた渓谷も、どこであっても家なのだ。思い煩うことのない、静かなる家。

さすらう者は歩を進めるその時に生き、「曲がりくねって流れる川のように」歩きまわる。たとえ森の中に身をおいても、気持ちを家や机に残してきたり、気がかりな言い合いを思い返したりしていては意味がない、とソローはいう。すべてを切り離してこそ真のさすらいなのだ。

哲学者はよく歩く。ルソーは歩いていなければ考えがうまくまわらないとつづった。キルケゴールは真の悟りを得るには1時間に3マイル（約4.8キロメートル）が最適のペースだと述べた。ニーチェは「歩いているときに浮かんだ考えだけが価値がある」と言った。アリストテレスと弟子たちは哲学を語りながら回廊をよく歩いたことで知られ、逍遥学派と呼ばれるに至った。

よい歩きは目に見えないすばらしい力をもたらす。暮らしを手放し、木々と空と空気に満ちた、気持ちを引き立て心を引き付けるような世界に深く飛び込む。英国の作家ロバート・マクファーレンは意欲作『The Old Ways』（未邦訳）の中で、今も昔も多くの文化において歩くことが思索への入口とされてきたと指摘する。さすらい歩く者は足で考える。心の中に足跡を残し、思考の道をつけてゆく。

詰め込みすぎの日々に疲れたとき、考えに行き詰まったとき、さすらいに出てみよう。決めた行先に向かうわけでも、行った先で何かをするために歩くわけでもない。未踏の地へ踏み出し、身を寄せる家をつかの間持たずに、今この瞬間と、後に残す足跡だけを心に抱いて。

孫武

ゲームに勝つための兵法

あと一歩で倒せるはずだった。あなたは何度も何度も挑んだ末、今日こそチェスで父親を負かせると思った。父親の駒は分散している。あなたのナイトが攻め込む。キングの周囲は無防備に空いている。あと数手。
「チェック」と父親が言う。まずい。あなたは視線を落とし、取られたポーンの駒に目をやる。重苦しい。父親はあと3手でチェックメイトだ。巧妙なやりかたで裏をかいてくるとは、まったく抜け目ない。

もしかしたらあなたのお父さんは『孫子』を愛読しているかもしれない。さかのぼること2000年以上、孫武の『孫子』に書かれた兵法は、今日でも戦略と戦術、あらゆる計略について記した名著とされる。

古代中国で諸国が台頭した春秋時代、孫武は比較的小さかった呉の将軍として登用された。多くの人が翻弄された乱世の時代ではあったが、新たな兵器が誕生したほか、軍事力強化に必要な工学が発展、孫武のような優れた戦略家が登場した時代でもあった。

兵法書である『孫子』は、軍隊や将軍が相手の裏をかき、あらゆる敵対者を倒すためのさまざまな手法を論じている。その多くは、現代の私たちが生活や仕事に応用できるほか、ボードゲームの類で相手を負かす戦術にも役に立つ。

第一の教えに、どんな状況にも確実に通じる戦略は存在せず、戦術は置かれた状況に即して応用せねばならない、という。勝利を収めるためには、天候や地形、兵士の士気から鳥の飛行経路のような細かな点まで、戦況のあらゆる要因を考慮に入れなければならない。昨日と今日では同じでないし、今回の問題は前回とは違う。すべてをその都度あらためて検討すること。

第二は作戦を首尾よく進めるための計略について。計画はゆめゆめ外に漏らさず、敵の目を常にくらますこと。『孫子』いわく「計画は闇夜のように暗くわからないようにし、動くときは雷鳴のように激しく動く」。強い者は弱く見せる。近づいても遠くにいるように見せかける。モノポリーの最中なら、手持ちの資金を相手に見せない。敵には確証を与えず推測させておく。

第三に、戦闘はしない方がいい。人生と同じく、戦いでも、強引な手法や暴力の行使は最終的かつもっとも効果的でない手段だ。『孫子』は説く。「最高の兵法は戦わずして敵を屈服させることである」。戦わずに相手を説得する、出し抜く、くじく、あるいは衝突を回避する手段があれば、そうすべきである。戦いはどちらの側にも破壊をもたらすうえ、リスクもきわめて高まる。

『孫子』は古今を通じ広く引き合いに出されてきた書物の筆頭であり、その思想は現代の士官学校でも教え継がれている。孫武自身は一見勝ち目のないような小部隊を好んだため、世界のゲリラ兵や革命家にもよく好まれる。1960年代当時は毛沢東がよく引用した。孫武の示唆に富む言説は私たちの日常にも生かせるだろう。個人的に好きなものを一つ挙げておこう。「その疾（はや）きこと風のごとく、その徐（しず）かなること林のごとく、侵掠すること火のごとく、動かざること山のごとく」

親戚や友人とゲームに興じるときも、思い出してみるといいかもしれない。

ハーヴィー

眠れないときに

人は時に何かを失って初めて気づく。ひどい風邪で寝込むと、いつも普通に呼吸できているのはありがたいことだったんだな、と身にしみる。携帯電話が壊れると、ないといかに困るか急に思い知る。金銭的に困っている、空腹だ、のどが渇いたとなると、お金や食べものや水のありがたさを痛烈に実感する。私たちの頭と心の日々の働きは、物事をあたりまえと受け止める前提で成り立っている。では睡眠はどうだろう？　睡眠が失われたら、私たちの現実にどんな影響が生じるだろうか？

サマンサ・ハーヴィーは2020年の著書『The Shapeless Unease』（未邦訳）で、この点を含め、幅広く哲学的な思索を深めてみせた。

ハーヴィーはずっと睡眠の問題とは無縁だったのだが、あるとき眠れなくなってしまう。眠れない夜を重ねるにつれ、心は新たな形に変異していった。普通に眠れている人には決して理解しきれないだろう。現実がゆがむ。時間の感覚がおかしい。世界のストーリー性が失われてばらばらになる。心の自然な移ろいはぼんやりと熱を帯びたもやの中に溶けていく。皮肉だが、不眠の人にとって起きている時間は夢の中にいるのと変わらなくなってくる。

深刻な不眠に悩んでいる人でなくても、夜にはささいなことを巨大な恐るべきものに変える闇の力がある。さまざまな邪悪な観念や、つきまとって離れない考え、執着、不安、落ち込みなど、寝床につくと浮かんでくるものだ。夜は一つの思考が心を占有してしまうときがある。他のことはすべて締め出され、「内面の妨害行為」が勃発する。ところが昼間には、同じ思考が他愛のないばかばかしい考えに思える。たいしたことではないのに、どうしてそれほどとらわれていたのだろう？　夜に訪れる不安感は対象を見つけてとりつき、ハーヴィーいわく「形のない不安で心がふくれあがって」しまう。

避けようがなく容赦ない「ぽっかり口を開けた広大な夜」が広がり、眠れない人を待ち受けているのを思い描いてみてほしい。哲学は心の何たるかの解明に重点を置く一方、人間がどれほど心にとらわれたり埋もれたりしているかに意識を向けることはめったにない。人は心から逃れられない。心が発するままの「編集されていないおしゃべり」に囲まれ閉じ込められている。たいていの人にとって、眠りは逃避や心の休息であり、あたりまえに手に入る。だが眠れなければ、夜は「何より長く、大きく、洞窟のようなもの」なのだ。

ハーヴィー自身、頭の中で溺れもがくことによる逃れがたい息苦しさに、あらゆる希望も喜びも奪われたという。それを次のように表現している。「世界はまったく安全でなくなり」「このままの人生ならもういらないとまで思い、……耐えがたい人生を耐えねばならない」。人間であることの本質的で自然な部分、動物としての基本的な欲求が奪われた結果、自分の人生から、そしてあらゆる生から疎外されてしまう。

人間の心は実に壮大な力を秘めていて、畏敬の念すら抱くほどだが、過酷でもある。よいものでもみなそうだが、やはり離れることは必要だ。映画を観るのは楽しいが、映画館に閉じ込められて出られないのは困る。スイッチをオフにできるときが必要なのだ。ハーヴィーと同じく、そうした至福の無の時間を奪われた人にとって、すばらしい財産であるはずの心は自身をさいなむものへと変わってしまう。

知識と心

私たちはすべての時間を頭の中で過ごしている。仕事中でもくつろいでいるときでも、頭の中には常に考えが行き交っている。私たちが考えていることというのは何なのだろう。何が起きているのだろうか。どういうしくみなのだろう？　いまこれを読んでいるあなたの頭の中の声、耳に入れなくても背景で鳴っている雑音、去年のクリスマスの記憶、あなたの信念、どれもあなたの心だ。

心は逃れようのない自分自身の思考が発する声だ。この章ではそこに何があるのか、どのように機能しているのかを探っていこう。

デカルト

精神と身体

頭の中でできるちょっとした遊びをやってみよう。

まず一匹の小鬼を思い浮かべてほしい。思い浮かべたら、色はオレンジ色にする。頭だけは緑色に。羽のついた大きな翼を二つ、背中につける。最後に剣を持たせる。

さて、あなたの小鬼は存在するだろうか？　確かにそこにいるようだ。鮮やかなオレンジの肌で武装して、あなたの想像の中、心の目のどこかに漂っている。だがどこに存在しているのだろう？　「心の目」とは何を指すのだろうか。

400年前、ルネ・デカルトが取り組んだのがこの問いだった（小鬼ではない場合もあっただろうが）。

人間は独立する二つの実体、すなわち心と身体、精神と物体からなるとデカルトは考えた。人間がみる夢、思考、意識の流れ、心に思い描いた小鬼など、すべては身体と別に、決定的に重要なのは脳という物体とは別に、存在する。

デカルトはこれを現代でいう「ライプニッツの法則」を用いて考察した。二つのものが同一であるには、すべての性質が互いに同一でなければならない、とする法則だ。つまり、両者はどこも違っていてはいけない、と言い換えられる。それはそのとおりだろう、と思えるのではないだろうか。

デカルトはこれを踏まえ、精神と身体はなぜ別なのかをさまざまな角度から論じた。これを二元論という。例えば次のような考察がある。

(1) 心の存在は疑いようがなく、人はそのことを自分の体験から知っている。私たちは常に考えていて、思考は存在すると知っている。だが身体は悪魔による欺きかもしれない。私たちが見ているもの、触れているものがマトリックスの世界、幻想かコンピューター上の仮想現実の可能性があるのではないか。

(2) 心は分割できない。心に区画や部位はない。一方、身体はいくつもの部位に分割できる（実際にやってみることはおすすめしない）。

最初の考察は納得できるのではないだろうか。クオリア（288ページ参照）、すなわち人間の主観的な体験に関係するためだ。思考と体験は私たち自身のものであり、たとえ全世界が幻だったり、現実が壮大な幻覚状態だったりしたとしても奪われない。デカルトの言葉としてあまりにも有名な「われ思う、ゆえにわれあり」（306ページ参照）の背景となる考えかただ。

もちろん二元論も完璧ではないが、それでもデカルトの考察には直感的にしっくりくる感覚がある。頭で思い描いた小鬼と自分の手は当然違う。頭の中で考えたことは世界に存在する事物と同じではないが、思考が「存在する」と表現したくない場合、何と言えばいいのだろう？

ロック

自分と他人の頭の中

筆者にとって、最初に哲学がおもしろいと感じたのがこの思考実験だったように思う。家族や友人とやれるし、まわりにも必ず一人はやったことのある人がいるはずだ。これを読んでいるあなたも、もしかしたら試してみたのではないだろうか。

「逆転クオリア」と呼ばれる思考実験がある（クオリアは「主観的な体験」の意)。アメリカの哲学者ダニエル・デネットはこれを「哲学におけるもっとも有毒なミームの一つ」と称している。数々の哲学者がさまざまなパターンで試みているが、ジョン・ロックが17世紀に編み出したものがおそらく一番よく知られていて、かつ古くからある。

問いはシンプルだ。あなたが見ている色と、別の人が見ている色が同じ色だとなぜいえるのだろう？

あなたが苺を見て「赤い」と思ったとき、隣にいる人は「青い」色を見ているかもしれない。だが二人が共有している言語や文化、同じ社会でともに生きているという現実を背景に、二人とも「この苺は赤い」と表現する。あるいは「空の色は何色か」という問いでもいい。あなたも友人も「空は青い」と答えたとしても、互いの目に実際にどのように見えているのかは知りようがない。視覚を例にする場合が多いのだが、他の感覚にもあてはめられる。自分にとってのオレンジは、あの人が食べるオレンジと同じ味がするのだろうか？　「オレンジの味がする」としか言えないとしても、自分にとってそれはどういう意味なのだろう？

第一に、これは知識の問題だ。なぜなら私たちは他者が経験していることはわかり得ない。人間には、互いに決してわかりあえない範疇や部類の物事——頭の中にある物事が存在する。

第二に、だからこそ、「Xは赤い」という表明には、必ず「Xは私には赤く見える」とするただし書きをつけなければ真か偽かを表せないことになる（これには本来、真理とは何かをめぐる込み入った考察をともなうが、ここでは割愛する）。そうなると、私たちは真理はその人の主観によって違ってくるという相対論の立場をとらなければならない。

簡単にいうと、逆転クオリアは懐疑論（293ページ参照）の問題であり、私たちにはわかり得ないことが山ほどある、誰かの「心の目」の中で何が起きているかはわかり得ない、と認めなくてはいけない。とはいえ、それでも実にみごとに思考の転換を図らせてくれる思考実験ではないだろうか。哲学へのすばらしい入口であると同時に、歩きはじめたばかりの哲学者がより深く難解な道へ分け入る前に抱く、最初の問いであることも多い。

プラトン

洞窟の比喩

旅の魅力は往々にして、訪れた場所や買ったもの、出会った人とは別のところで得られるものだ。自分がもといた場所、出発地点を新たな視点で見たときがそうだろう。良質の冒険は世界の見かたをがらりと変え、知っていたつもりの事柄をあらためて見直す機会になる。物事を見る新しい目を授けてくれる。

プラトンが著書『国家』で用いた「洞窟の比喩」はそんな究極の旅だといえる。プラトンの哲学的考察のなかでもよく知られる（かつわかりやすい）たとえは、次のようなものだ。

地中深くに洞窟があって、奥では囚人たちが鎖につながれていた。手足の自由がきかず、正面にある洞窟の大きな壁を見ているしかない。背後では火が灯されゆらめいている。火と囚人たちの間にはいろいろな物が置いてあり、その影が洞窟の壁に映しだされている。

この状況で生まれた育った囚人は壁に映る影しか知らず、それが世界のすべてだと思っている。影を見つめ、吟味し、分析して詳細をつかんでいく。

あるとき、囚人の一人が自由の身になった。洞窟を抜け出し、太陽の光が降りそそぐ世界へ飛び出す。驚異に満ちた世界を体験した彼女は、仲間に対するあわれみの念におそわれる。洞窟に戻って仲間を救いださなければ。ところがまぶしい太陽の光に目がくらんだ彼女は、暗い洞窟に戻ってもよく見えない。外の世界は驚きに満ちていると伝えても、仲間は聞く耳を持たず、壁に映る影が見えなくなった彼女をばかにするばかり。殺してしまえとまで言いだした。

この話は哲学者がたどる道のりのたとえになっていて、一般的に二つの解釈がある。

一つには、知識の話。物質的な世界、人間が感覚で知覚できる世界がいかに薄暗くぼんやりした、現実が崩壊した世界であるかをこの比喩は示している。哲学者が内省し思索を深め、明晰（めいせき）な理性をもってまばゆい真実を明らかにすればいい。内に目を向け、洞窟を出るのだ。

もう一つは政治的な話。正義や善といった真の概念を見抜いているのは哲学者だけであるため、国家を統治する者は哲学者であるべきだ、と説くねらいがある。哲学者は世界の真実となりたちを理解するに至った優れた少数者（プラトンはこれをごく少数であると考えた）であるゆえ、人々の導き手となるべきだと考えたのだ。プラトンはこのひと握りの哲学者を政治腐敗や大衆の無知に対抗する者と位置づけた。プラトンは師ソクラテスを死に追いやったアテナイの暴政以来、民主主義を嫌っていた。

洞窟の比喩は非常にわかりやすく、哲学の基礎的な文献にふれたい人にぴったりの導入部だろう。特に西洋のキリスト教思想や西洋哲学の多くがプラトンの影響を色濃く受けていることから、私たちの想像や世界観とも親和性が高い。さらにこの比喩は意図してであれ偶然であれ映画にもよく登場し、設定に使われるなど影響を与えている。「マトリックス」「インセプション」「トゥルーマン・ショー」「シャッター アイランド」「13Ｆ」など、洞窟の比喩は脇においてまずは観てみてほしい。

ピュロン

懐疑論

二つの意見があって、どちらの言いぶんにも一理あるとき、どうすればいいだろうか。これといった明確な答えが出ないときは、どう結論を出せばいいのだろう？　絶対的な確信はなくてもいずれかの案や答えや考えかたを選んで、「これでいく」と態度を決めるだろうか。それとも、「うーん、正直なところわからないな」と率直に認めるだろうか。

懐疑派の祖と呼ばれる古代ギリシャの哲学者、ピュロンが勧めたのは後者だった。

人生において、単純明快な答えが出る場面は少ない。正反対の主張にそれぞれ納得できる部分があると感じることも多い。議論を聞いていて、誰の発言にもうなずいてしまうこともよくあるのではないだろうか。本書で取り上げた数々の哲学者の思想も、対立する立場でありながらどちらにも納得してしまう例があったかもしれない。

こうした混沌に対し、ピュロンはシンプルな答えを出した。いわく「何物にも心を煩わせるのをやめればよい」

明白あるいは確実な真理が存在しないのなら、「判断を停止」すべきだとピュロンは説いた。これは答えがないことを受け入れるというより、答えが（現時点では）得られないのなら、われわれは知的能力をもってその事実に誠実になり、「わからない」というべきだ、という意味だ。

プラトンが『プロタゴラス』で、吹く風を暖かいと感じる人もいれば寒いと感じる人もいると指摘したように、ピュロンの懐疑論も物事の真の本質はわかり得ないと説く。私たちは知覚や経験を通じて判断を下すだけで、真理を開くわけではない。

懐疑論の立場では、真理のないところで真理を見つけようとするあてのないむなしい試みは、苦悩や不安、不満をもたらすことになるとみなす。懐疑派は「幸福を追求する」学派、つまり満たされたよき人生を送ることを追求する。幸福に満たされた人生、すなわちエウダイモニアは、わかり得ないことに煩わされるのをやめて初めて手に入る、とするのがピュロンの考えだった。明瞭でない物事については判断を停止するのが真の賢人だという。この「判断の停止」を古代ギリシャでエポケーといった（271ページ参照）。

ピュロンは苦悩もいらだちもしなかった、といわれる。なぜ快楽は苦痛よりよいのか、富は貧困より、健康は病よりよしとされるのはなぜなのか。エポケーを実践すれば失望したり期待を裏切られたりする苦痛を感じずに生きてゆける。かき乱されることのない心の平静、「アタラクシア」を保って生きられるのだ。

ピュロンは目の前にある断崖を信じず、歩いていく彼を弟子たちが止めたとする逸話が伝わっている。現代を生きる私たちはピュロンほど極端に懐疑しなくてもいいが、ヒントになる部分はあるはずだ。間違った判断をするのも、答えを探し続けるのも楽ではない。「今の時点ではわからないけれど、また考えてみよう」と留保してみるとずっとストレスは軽くなるし、心に正直なのではないか。実践して心が軽くなるかどうか試してみてはどうだろう。

ヒューム

ブラックスワン

この先の未来は過去と同じようになるはずだ、となぜ言い切れるだろう？「今までずっとこうだった」からというだけで、明日もそうなると考えられる理由はどこにあるのだろうか。哲学的に考えて、明日、太陽がのぼると確実に言えるだろうか？　昨日まで、あり得ないような確率でたまたまずっと日が出てきただけだったら？

これはヒュームの「帰納の問題」として知られ、現在でもなかなか解けなくて手ごわい、哲学上有数の難問とされている。

帰納の問題はあらゆる種類の「帰納的推理」に疑問を投げかける。帰納法とはそれまでに起きたさまざまな事柄から結論を導き出す考えかたのことだ。いろいろな種類の犬がほえるのを何日も見てきたら、「犬はほえるものだ」と結論を出してもよさそうだ。これまで毎日、太陽がのぼってきたのなら、明日ものぼるはずだと「帰納的に推論」する。ウイスキーをなめてみるたびにまずいと感じるなら、たぶん私はウイスキーを受けつけないのだろう。

デヴィッド・ヒュームが18世紀に提示したこの問題は、過去の経験がどれほどあっても、それが将来も起きることを（哲学的には）保証はできないと指摘する。過去と未来の間に「必然的結合」はない。実験を繰り返すうちに事態が変化するかもしれない理由なら、人は突飛な説をいくらでも思いつく（世界はシミュレーションにすぎない、悪意ある悪魔による幻覚だ、この世は夢だ、など）。明日も今日と同じだとは決して言い切れない。であれば、私はこの先もウイスキーをなめ続けてみるべきなのかもしれない。哲学的にみて、今後も絶対にまずいという確証はないのだから。

わかりやすくするために例を挙げてみよう。白いハクチョウ（スワン）しか見たことのない男がいるとする。男は自信たっぷりに帰納的な論法を展開し、堂々と言い放つ。「ハクチョウはみな白い！」ところがオーストラリアの湖畔へ行ってみると、男の顔がくもる。目の前に気の強そうな黒い鳥、ブラックスワンがいるではないか。帰納法で結論を導き出したところに、黒いハクチョウがひそんでいないなんて誰に言い切れるだろう？

確かに、科学的な実験はことごとく帰納法を用いており（216ページ参照）、ヒュームが提示した問題は見過ごせない。最近になってポパーがようやく答えを出してみせたところだ（230ページ参照）。それでもまだ足りないと考える人もいるのである。

ビュリダン

選べないロバ

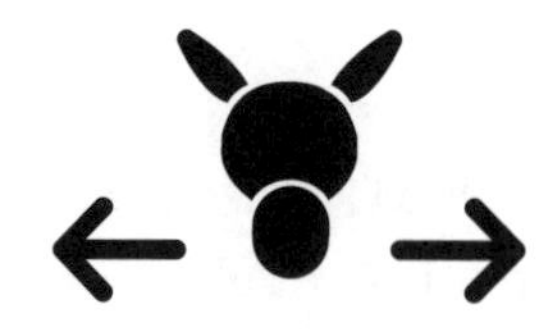

皿の上に何切れもあるピザのなかから、そのひと切れを選んだのはなぜだろう？　すぐ隣の1本も同じように見えるのに、そのフライドポテトを選んで取ったのはなぜだろうか。選択肢の中からどれかを選ぶ理由が特に見あたらない場合、それでも選ぶきっかけになるものは何なのだろう？　動機づけになる要素がないとき、何が行動を引き起こすのだろうか？

14世紀のフランスの哲学者、ジャン・ビュリダンにちなんだ「ビュリダンのロバ」のたとえがある。自由意志をめぐるジレンマの問題で、正当化の理論を説明するのに用いられるほか、人工知能（AI）の話にも通じるところがある（当時は今のようにマックブックなどなかったわけだが）。

有名なこの話に出てくるロバは、2か所に置かれた干し草と水の間でジレンマにおちいる。どちらかを選ぶ理由がなければ、ロバはどちらも選べずに飲まず食わずで飢えてしまう、というものだ。

ビュリダンから3世紀半ほど後のドイツの哲学者、ゴットフリート・ヴィルヘルム・ライプニッツは「いかなる物事も生じるには必ず十分な理由がある」と述べた。これに従えば、BでなくAを選ぶ理由が与えられなければ「何事も起きない」ことになる。決断できなければ、その人は前に進めない。

この思考実験には意思決定理論の限界を指摘する意図がある。意思決定理論では、私たちの選択はすべてなんらかの原因があってそこに至ったとみなす。一方ビュリダンのロバのジレンマは、よくわからない不可知の「メタな理由」が人を行動に駆り立てることもあるはずだと考える。私たちは時に、推測できる理由がなくても何かをするものなのだ。

AIに応用してみると、AIは「選択する」ことをプログラミングされていない場面で複数の選択肢に直面すると困ってしまう。どれを選んでも等しくことが運び、同じく許容できる結果になるのなら、どんなからくりで行動や結果を決めるのだろう？

この場合、選択しない選択をすればAIが停止するか、何も生まない無限ループの繰り返しになるだろうか。もしそうなら、やはりプログラミングにはなんらかの理由が必要になる。ランダムな数字の生成でもいい。

もちろん人間はロバとは違うし、（たいていは）知恵がある。いつでもなんらかの理由をもって選択し、何もせずみずからを破壊に追い込むようなまねはしない。首筋がかすかにひきつる感覚があったとか、向こうから風が吹いてきたとか、太陽の光が何かに反射して一瞬きらめいたとか、よくわからない無意識の嫌悪感があったとか、明白であれ意識に上らないレベルであれ、私たちの行動にはやはり何か理由があるのだ。

ソクラテス

無知の知

自分が知らないことがあったとき、どんなふうに感じるだろうか。誰かの考えていることが理解できないとき、困ったなと思うだろうか。質問の意味を取り違えてしまったら気にするだろうか。知らないことを知らないと認め「それ、わからない」と言えているだろうか。

ソクラテスは、自分の無知を自覚し受け入れることが哲学者になる最初のかつ重大な一歩であると信じ、誰であってもそうあるべきではないかと考えた。

人間は長い歴史をたどるうち、いつしか無知はよくないものと考えるようになった。最大の罪ではないとしても、人格上の欠点のようにみなされているのは確かだろう。教師や親、あるいはウィキペディアによって「治癒すべき状態」とみなされているといってもいいくらいだ。埋めるべき穴と考えてもいい。

だが無知がすべて悪いわけではない。一人の人間がすべてを知るなど不可能なことはみな受け入れているだろう。二言語を操れる人はすごい、学位を二つ取ったとは優秀だ、千冊も本を読んだなんて賢いに違いない、そう思うかもしれない。

それでも世界に広がる知識の大海を見わたせば、いずれもそのうちのわずかにすぎない。人は誰でもなにかしら無知の領域があり、それでかまわないのだ。

ソクラテスは無知を単に不可避の悪とみなさず、うまく使えば真理と知恵を得るための第一歩になると考えた。「ソクラテス的無知」と呼ばれる概念だ。ソクラテスは無知には二つの種類があると説く。

一つは、自分の無知に無知であること。これは「自分が知らないことを知らずに生きること」を意味する。みずから問うことをしない人ともいえる。「眠っている」かのようにおぼつかない足取りで、あたかも物事の善悪をわかっているかのようにふるまう。自分を疑ってみることを知らない人間だ。

もう一つのソクラテス的な無知とは、自分が知っていると思っていることと知らないことの双方を批判的な目で見つめ、眠りから覚めた状態をいう。鋭い批判精神を持つソクラテスはアテナイの人々に問いを投げかけ悟らせるのがみずからの使命とみなし、正義とは何か、信仰とは何かなど、あらゆる物事について人々に問いかけ、問答することに日々を費やした。最後は告発され、紀元前399年に民衆によって死刑に処されたのもそうした背景からだった。

二つめの無知をソクラテスは「知徳」とみなし、すべての賢人、すべての知性ある人間はこれを追求すべきだと説いた。よい悪いを確かめずに固定化された理論に身をゆだねてはならない。本当に妥当かを問わないまま同調しない。自分が知っていることなどわずかにすぎないのだと自覚し、何につけてもどんなときも間違いを犯しうると認めること。

ソクラテスのいうように、「吟味されない人生は生きるに値しない」のだから。

アリストテレス

論理の法則

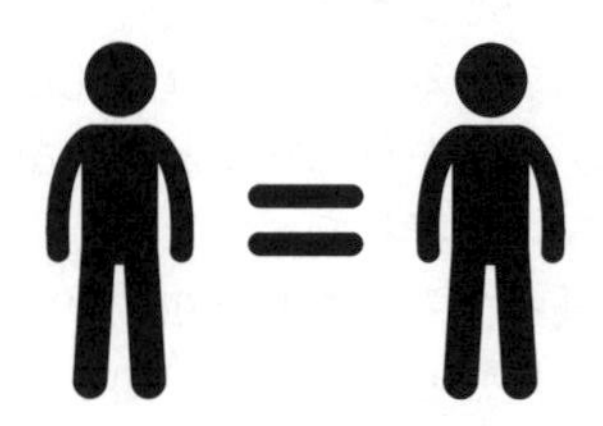

どんなスポーツやゲームにも、最初にみんなが合意しておかなくてはいけないルールがある。ボールを手で拾ってはいけない、ボールは線の内側に入らないとアウト、タックルしていいのは首から下、「ロクサーヌ」の歌詞が聞こえたらビールを飲む、といった具合に。

哲学や論理学、私たちの思考法も同じだ。人は誰でも、幼少期の発達段階から根本的な万物の法則のようなものをわかっている。ごく自然で自明な法則のため、普段はわざわざ気にとめたりしない類のものだ。

だがアリストテレスは違った。法則を書き出してみようと考えた。

アリストテレス自身が論理を考え出したわけではないが、体系化した最初の一人であることは間違いない。あらゆる議論、主張、哲学、意見表明に運用すべき論理（思考）展開の法則として、アリストテレスは次の3点を挙げた。どれももっともだとうなずけるはずだ。

⑴ 同一律　A＝A、つまり、ある事柄はそれ自身と同一であること。

まったくもって自明のことに思えるが、知識と実際との関係についてはふれておくべき興味深い論点がある。アリストテレスの論法は物事の実際にあてはめるものであって、その物事について私たちが知っていると思っていることに対してではないのだ。たとえれば、もし知らない人がいたとしても、クラーク・ケントはスーパーマンであり、ピーター・パーカーはスパイダーマンであり、ジョージ・オーウェルはエリック・ブレアであることは変わりない。

(2) 無矛盾律　物事はAであると同時にAでないことはできない。

あなたは犬であるか犬でないかのどちらかだ。生きているかいないかのどちらかだし、論理学をおもしろいと思うか思わないかのどちらかだ。AでありながらAではない、とはならない。ジキル博士とハイド氏でさえ一度にどちらか一方にしかなれない。

(3) 排中律　ある命題は真か偽のいずれかである。

「今日は月曜日」だという文は、いつ読まれるかによって正しいか誤りかのどちらかになるが、二つは同時に成立はしない。同一性の法則と同様に、私たちが真理か否かを知っているという話ではなく、真か偽かの真理値があることを意味する（神の視点から見た世界のように）。

この三つの法則を使えば、三段論法（シュロギスモス）と呼ばれる論理を楽しく構築でき、議論で相手との論戦を受けて立てるようになる。

『不思議の国のアリス』のようなシュールな冒険物語でも『一九八四年』のようなディストピアな世界でも、この論法は試されたり覆されたりしている。共通するのは、必ずウィットに富んだ言葉遊びや知識を前提とした戯れをともなう点だ（187ページの二重思考も一例）。

さまざまなできごとが現実に起こる日常にも、アリストテレスの論法は必ずあてはまる。おそらく、あなた自身は気づいていなかっただろうけれど。

エウブリデス

砂山のパラドックス

ふさふさの髪をした一人の男がいる。誰かがいたずら心でその髪を1本抜いた。男は何事かと驚いたが、もちろん髪はふさふさのままだ。もう1本抜いても変わらない。これをずっと繰り返していくと、どの時点で彼は「はげ頭」になるのだろうか。そもそもどれだけの髪が生えているのか。どこまで少なくなるとはげ頭とされるのか。

どうでもいい話に聞こえるかもしれない。だがこれは「ソリテス・パラドックス」（砂山のパラドックス）として知られる逆説で、哲学的になかなか重要な示唆が含まれている。単純に友人との話の種としてもおもしろい。

ソリテス（sorites）はギリシャ語で「積み上げられたもの（山）」を意味し、最初に唱えたエウブリデスは石や岩を例にした（エウブリデスは古代ギリシャの哲学者の中では知名度が低いかもしれない）。いわく、石をいくつ積んだら「石の山」といえるのか？　二つ積んだらどうだろう。三つ積んだらピラミッド状になるから「山」？　あるいは数十個、数百個積まないとだめだろうか？　石の大きさや積んだ形状にもよるだろうか？

　これはロジックの問題だ。ぼんやりしたあいまいな部分があると、ある命題の真偽を見きわめようと論理的に追求したときにこの問題にぶつかる。物事の定義に明確な境界線がなければ、単独の変化を一つ加えてもその物事は変わらない。一日で人は急に老いるわけではないし、一滴の水では水たまりにならない。一羽のツバメが来ても夏にはならない。このように論理上、あいまいな言葉は一つの事象では定義できない（真実をなせない）。

　ソリテス（または砂山）のような言葉をめぐっては、私たちは両極のどちらか一方をあてがってよしとする。旧約聖書に登場し969歳まで生きたとされるメトセラは老人で、オリバー・ツイストは若い。空は青く、草は緑。ジェフ・ベゾスは裕福で、アフガニスタンの羊飼いは貧しい。哲学的な論争（と穏当な議論の数々）を呼ぶのは「あいまいさ」や「明暗の境目」の部分なのだ。ブラッド・ピットは老いているのか？　北海は青いのか？　あなたは裕福ですか、貧しいですか？

　該当するかしないかを明確にできなければ、形式論理学の根幹をなすアリストテレスの同一律（302ページ参照。あらゆる事柄はXか非Xである）は脅かされてしまう。

　何であれ、ソリテス的な言葉を使った記述はそのあいまいさが大きな議論を引き起こしかねない。「私ははげてない」「この部屋は暑いね」「あなたってひどい人！」など、果たして言い切れるのだろうか。どれくらいひどい行いをしたら「ひどい人」になるのだろう？

　いずれにしてもこれが真実だと言い切れなければ、そもそも真実や事実という概念は何を意味することになるのだろうか。

デカルト

われ思う、ゆえにわれあり

デカルトは西洋思想のなかでも実に整然と哲学と論理を説いたことで功績を残している。デカルトの哲学を示す定理として有名な「コギト・エルゴ・スム」は決まり文句と言っていいほど知られ、「コギト」とも略される。言い古された格言のように扱われている場面もままみられるが、この言葉の美しさはその潔いまでの簡潔さにある。実に冴えわたっている。

一般的に「われ思う、ゆえにわれあり」と訳されるコギトは、疑う余地のあるものをすべて疑ってみたデカルト自身の根本的懐疑を解消しようとした点で、「アルキメデスの点」とみなされる。みずから掘った穴から出るためにのぼる必要のあったはしごなのだ。

デカルトは著書『省察』の中で懐疑的な問いを三つ投げかける。いずれも私たちの思考や知識をいったん一掃するのがねらいだ。

まず一つめに、間違いをおかすと知っていながらなぜわれわれは自分の感覚を信じられるのか。棒は水中では曲がって見え、親指は月と同じ大きさになり、クリスマスに親戚が集まるとおじさんが手品でコインを消してみせた。人間の感覚には錯誤がつきものだ。

二つめに、多くの人がときに非常にはっきりした夢をみる。みながらまったく疑問を抱かないような、現実のようにリアルに感じる夢。今、世界を本物つまりリアルに感じるのであれば、これも夢ではないとどうしてわかるのだろう？

最後に、もし、人を巧みに操る全能の「悪霊」が私たちを欺いている可能性がわずかでもあるとすれば、100パーセント確かだといえる物事など存在するのだろうか？　目の前の「現実」は、突き詰めれば「マトリックス」や「トゥルーマン・ショー」、コンピューター上のシミュレーション、あるいはジャーナリスト、ハンター・S・トンプソンがとらえた世界なのかもしれないではないか。私たちにわかるのだろうか？

こうした疑問に、コギトは簡潔でみごとな解を提示する。「われ思う、ゆえにわれあり」でデカルトは、すべてが悪霊か何かによる欺きだったとしても、欺かれる何かが存在しているはずだと指摘する。私たちが疑ってみる、現実に対して疑問を抱いている事実そのものが、そう考えている何かが存在していることを意味しているのではないか。悪霊はみずからを欺くわけではなく、対象とする何かを欺く。その「何か」が「われ」つまり「私」なのではないか、とデカルトは考えた。疑っているとしてもそこには疑うという意識があり、意識することのできる何かが存在する。意識し考えることのできる何かが「私」なのだ。

なんともすばらしい哲学の一片ではないだろうか。批判もあるが（ラッセルやサルトルがよい反論を唱えている）、「われ思う、ゆえにわれあり」の意味を考えてみるたび、私はどこか満たされた気持ちになってくる。

ヒューム

知覚の束

誰もいない舞台を思い浮かべてほしい。両脇に何の変哲もないカーテンがかかり、床にはうっすらほこりが積もっている。ふいにそこへ人が歩いてきて、あなたに向かって手を振り、去っていく。続いてあなたの母親が登場し、7歳のあなたに寝る前のお話を読んで聞かせ、消えていった。次にあなたの姿かたちをした人物が現れる。相当の財力と影響力をもっているようだ。その人もやがて舞台を去る。突然、赤い閃光が走り、目がくらんだと思うと、光は薄れて消え、何もない静かな舞台に戻る。

デヴィッド・ヒュームが考える「私」は、いま描写したようなものだという。次々に現れては消えてゆく、つかの間の感覚。数々の記憶、野心、感情、思考などだが、それ以上の何かではない。

古代ギリシャの時代から、「私は何者なのか」の問いは常に哲学者の頭についてまわった。現代でもそれは変わらない。デカルトは人間を精神と身体に分けた二元論の立場から、形而上学的な精神を「私」とみなした（286ページ参照）。ロックは究極には記憶こそがその人の人格であると考えた。ヒュームはどちらの立場も否定する。どちらの説も実態からずれた誤りだとみなしたのだ。

心の内部に分け入ってみると何があるだろうかとヒュームは問いかけた。「変わることなく継続する印象」が存在して、「常に不変で」そこにあるのだろうか？　そんなはずはない、とヒュームはいう。私たちにあるのは、ぐるぐると激しく渦巻いて決してとどまることのない観念と感覚だけだ。ヒュームいわく、私たちが「遭遇するのは熱さや冷たさ、光や影、愛や嫌悪、苦痛や喜びといった特定の知覚」だけで、「私自身をとらえることは絶対にできない」。人間は雑多でまとまりのないランダムな感覚の束なのだ。ここから、ヒュームの理論は自己を「知覚の束」とみなす、と表現される。

ヒュームは自己を、こうした各感覚が互いに関連しあって見えるがために人間がつくり出した虚構ととらえた。ところが人の頭の中の観念同士の関係はせいぜいあいまいなものであるにすぎない。私たちの観念は似て見えてもかけ離れていることも多く、「精神、自己、実体という観念を用いてその変化をごまかそうとする」。人は深いところで、自分が抱く数々の相いれない観念がなんとか奇跡的に統合されて一つの「自己」をつくっているかのように思い込もうとするか、思わずにいられないのだ。

ヒュームはこのように、一般的に「私とは統合された不変の存在」であると思いたいわれわれの希望を打ち砕く哲学者、のように受け止められている。だがもっとスケールの大きな解釈もできる。万物は常に変わり続けるとしたヘラクレイトスの理論（225ページ参照）はヒュームも知っていただろう。ヒュームも確かに同じような表現を用いている。しかしヘラクレイトスの方は、例えば火であれ川であれ、人が何かの全体を見るとき、そこにはやはりなんらかの同一性があるのではないかと論じた。であれば、人間だって同じことがいえるのではないか、というわけだ。

ただし重要な違いは、火や川を考えるとき、人間は外側に目を向けている点だ。

人は同一性をもって自身の内側に目を向ける。それでも自分自身の内面にある思考を見つめることができる。ヒュームがいうように「私」が雑多でばらばらな感覚の束ならば、ばらばらなそれを見ている存在は何なのか。その舞台を見つめているのは何、あるいは誰なのだろう？

カント

世界のなりたち

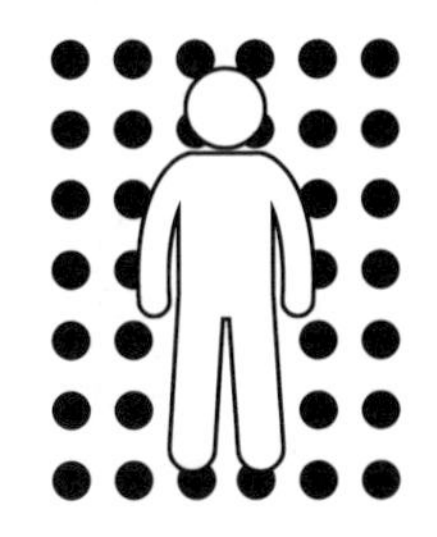

まわりに目をやってみてほしい。なぜそこには一つひとつ別々の物体が見えるのだろうか。本がテーブルの天板に同化してしまわないのはなぜか。ネコがソファと一体にならないのはなぜか。あなたの足が終わって床が始まる地点はどこなのか。この枝はその木の一部で、あの立っている木は別々の2本の木だとわかるのはどうしてなのか。すべてはあなたの頭がやってくれている。目に映ったものを認識するより早くさばいてゆくという隠れた大仕事を絶えずやってのけている。

これがカントの現象の概念だ。

世界は私たちが経験しているような、整然とした秩序に基づいた体系などではない。屈折する光、高速で伝播する音波、あらゆる密度で結合する原子などがごちゃ混ぜになっている。そんな世界で人間が現実を整理して把握し、きちんと認識し何かについて知識を得ようとするのなら、対象を整理し、構築し、選別し、選択し続けることになる。

私たちが経験するのはすでに意味を有する世界だ。大事なところはどこかをあらかじめ決めてあり、わかるように選別してくれるフォーカスの働きを頭がつかさどる。

実践してみよう。何でもいいので、何かをしばらく見つめてみる。それから脇に目をそらすか、視線を手前に移す。じっと見ていたとき、あなたの頭はどのような細部をあえて見ない選択をしていただろうか？　例えば景色を眺めていたとしたら、どの部分を選択して見ていただろう？　視点を移して、一本の木に集中してみる。あるいは一枚の草の葉に、ひとひらの雲に。どれもずっとそこにあったのに、頭はそれを排除して、より大きな全体を見ていたはずだ。

カントはさらに追求した。カントにとって人間の頭はクッキー型のようなもので、経験を通じて入ってくる膨大なデータを「カテゴリー」を用いてとらえ、さばいていく。カントが挙げたカテゴリーは12種類あるが、大別すると「空間」と「時間」に分けられる。空間はネコとソファを分け、時間は過去、現在、未来を分ける。そして意識すらしないうちに、頭でこれらを現実に投影する。

ここに挙げた例の多くは対象を知覚してからの認識、つまり視覚や聴覚などがとらえた対象に基づいた認識であり、厳密にはカントの理論からは外れる。しくみを説明するメタファーとしてはいいが、カントの理論ではこの前の時点から頭の中でプロセスは進んでいる。意味をもたない「現実」（カントの言葉でいう「物自体〔ヌーメナ〕」）を、意味をもつ経験（「現象〔フェノメナ〕」）に転換するのだ。全体像をなぞらえてみれば、理解不能なバイナリーデータや16進コードが、コンピューターのモニター上で見てわかる情報になることがこれにあたる。

カントが卓越しているのは、「すべては見たこと経験したことに由来する」とするイギリス経験論と「人には生まれながらの知識や理性がある」とする大陸合理論の間を取り持ったところにある。カントはどちらも真理であるとみた。経験は必要だが、経験するための道具と体系も必要だ。カントは論破すべき人物、啓蒙精神を掲げる存在としてみずからを確立した。カントは哲学の基礎を新たに築き直したのだ。

チャーマーズ

汎心論

あなたの頭の中をめぐる思考と、いま文字を追って読んでいる言葉は、一点において他の何物とも違う。あなただけの個人的なものであるという点だ。そのほかの一切は、抽象的なものであれ有形のものであれ、吟味したり、それについて話したり、本で読んだりできる。ある意味、自分の「外側」にあるものだからだ。

意識は主観的だ。「一人称的」であり、いくらがんばっても誰も人の頭の中に入ってその意味するところをそっくりわかることはできない。人間の思考はその人独自のものだ。対してそれ以外の世界は客観的で「三人称的」であり、他者に伝達できる。

ここを出発点に、オーストラリアの哲学者デイヴィッド・チャーマーズは驚くような難解な理論を提示した。大半の人はおそらく聞くと目を丸くして、「へえ」とつぶやくしかないかもしれない。かなり奇抜な発想だ。汎心論と呼ばれている。

汎心論では、「一人称性」つまり個人の意識は物理的現象がなんらかの形で作用して生じる固有の現象である、ととらえる。われわれの意識は身体（具体的には脳）が特定の形で働くことによりつくられる、というほどの意味だ。

汎心論では「主観性」を重力や磁力と同様、宇宙をつかさどる基本的な力であるととらえる。重力が質量の違う二つの物体に作用するように、意識は「情報処理粒子」に作用する。情報処理粒子には情報を運び伝達するものすべてが該当する。電気信号を伝えるシナプス、さらには結合する元素も含まれる。

汎心論の理論自体まだ登場して日が浅い（神経科学の発達に合わせてさらに進化するとみられる）が、考えかたとしては、宇宙に存在する粒子はすべて（形而上学的に）「主体性」を有する、という立場だ。全粒子が一つずつふんわりと軽い主体性の層に覆われているイメージだろうか。粒子はさらに大きく複雑な構造内の粒子と結びついて、より高次の、あるいは低次の意識が形成される。層が厚くなっていくわけだ。

実際のところ、どういう意味なのだろう？

粒子で構成されるものにはそれぞれなんらかの程度の意識がある。H_2Oという化合物には「水としての意識」があり、アミノ酸でも鉛筆でも、ネズミでも犬でも同様で、ずっと高度になると人間の意識がある。人間は粒子が作用しあう特有の構造をしていて、「私」や「あなた」という人間独自の意識を有する。ではカニがドストエフスキーを読めたりするのかというとそうではなく、カニにはカニ独自の主体性がある。人間なら人間の意識をほかの体系にあてはめることはできない。

ただしここから汎心論は現実を超越した様相を呈していく。高度な意識へ移っていくと、例えばスポーツの競技場は複雑な構造をしていて「競技場の意識」を有している。であればアジアも、世界も、宇宙も——となり、汎心論的にみれば「宇宙の意識」に到達する。

もし、それが神でなければ、いったい何なのだろう？

チャーマーズとクラーク

拡張された心

あなたが今、そらで言える電話番号はいくつあるだろうか？　道を覚えていて、調べなくても車で行ける場所はどれくらいあるだろう？　それともどちらもスマートフォンを頼りにしているだろうか。スマートフォンがないと困る場面はどのくらいあるだろう？

さまざまな点でスマートフォンは私たちの脳の延長のようだ。実際の脳よりすばやく巧みに知能の働きをしてくれる。この背景にある認識に関心を寄せ、アンディ・クラークとデイヴィッド・チャーマーズは1998年の論文「拡張された心」を発表した。

人間はみごとなまでに複雑な脳を持っていて、それがすばらしい仕事をしてみせる。そのうちの大部分はまだようやくしくみが解明されはじめたばかりだ。この「認知過程」のおかげで私たちは世界とかかわりあい、互いに作用しあうことができる。人として機能することができるのだ。私たちが「心」あるいは「頭」というとき、実際には記憶や注意、運動の制御、作用、感覚など幅広い言葉を指している。だがなぜ、これらの言葉は脳に関連するものに限定されなければいけないのか。

もし、どんなプロセスをつかさどっているかで心を定義するのなら、こうした認知機能を補完する手段や技術も含めればいいのではないか。記憶は情報を呼び出すことであるのだから、電話番号という情報を呼び出すためにスマートフォンを使い、休日がいつかを思い出すために手帳を見るのなら、これも心の一部といえないだろうか。こうした拡張したものが、脳細胞やシナプスと同じくらい認知機能を担ってくれているのだ。

これが真実であれば、私たちが日ごろ使っている道具、スマートフォンやコンピューターや日記帳は心の一部であるとみることができる。心の一部であれば、その結果、私たちのアイデンティティの一部ということにもなり、倫理や法的な側面にもおおいにかかわってくる。子どもたちの認知プロセスの一端を奪わずに、学校で教師が生徒の携帯電話を没収することはできるのだろうか。高齢女性が子どものころの日記帳をなくしたら、認知機能の衰えほどのダメージはないと言えるだろうか。ソーシャルメディア（ひいてはインターネット）につながれることは、家族や友人と会ったり、自由な時間を過ごしたりするのと同じく人間の幸福に不可欠なのだろうか？

「拡張された心」の理論は、テクノロジーの進化にともないますます注目されていくはずだ。AR（拡張現実）アプリは、目の前の現実に対する認識をどう変えるのだろう。何百キロも離れたところから脳活動によって物体を動かしたり、「さわる」「見る」までできたりする生体科学はどうだろう？　その場で言語を翻訳してくれる電話は？　これまでの固定観念のほかに、脳は頭蓋骨の中に収まっているべきとみなす理由は何だろうか？

政治と経済

人間はまとまると何かをなす。すばらしいことをなしとげる。政治がまさにそうであって、人間の最良の部分も最悪の部分も引き出す。政治は私たちを守り、つくり、強くし、人間たらしめるが、ひとたび間違えば人を破壊し、虐げ、排除し、人間性を奪いもする。

政治には、共同体や集団として人間が営むすべてが含まれる。

ホッブズ

統治者の必要性

太古の昔、洞窟に暮らしている自分を想像してみよう。今日は狩りも採集も成果が上がり、意気揚々と引き上げてきたところだ。人生は安泰にみえる。そこへある日、強い権力者が肩で風を切って現れ、こう告げる。「食料をよこせ」

あなたはひるむ。食べるものを手に入れるのは簡単ではないし、あなたはあなたで独立した人間なのだ。

「なぜだ？」あなたはむっとして聞き返す。

権力者は胸を張る。「おまえの洞窟を守ってやる。他の人間が入ってこないようにする」

かくして初めての社会契約が誕生した。17世紀の英国の哲学者トマス・ホッブズが描いたこの契約の形は、現在に至るまで私たちにとっての政府の位置づけを表しているといえるだろう。

統治者が現れる前、権力を持つ者が国を治める以前の人々の生活は惨憺たるありさまだった、とホッブズは考えた。権力が一切存在しなければ、人はすぐさま「自然状態」におちいる。食料や資源をめぐり熾烈な争いが勃発し、人間は「不快で野蛮な生活」を送り、「寿命は短く」なる。「ウォーキング・デッド」「マッドマックス」「フォールアウト」が一緒になったような世界だ。

そのような惨事を回避するためには、われわれは個人の絶対的な自律を手放し、主権を有する政府に権力を託さねばならない、とホッブズは説いた。宇宙の法則では許される、他者の持ちものや命を奪うことはできなくなるが、その代わり所有権と身の安全を保証される。この安全がより大きな自由と安心をもたらすとするのがホッブズの主張だ。例えば家を離れて社会で仕事に従事でき、労働はさらに分化できる。進化が可能になるのだ。

こうして、個人の集合体としての社会と統治者との間に「社会契約」が結ばれる。これは片や自由、片や安全と安心を天秤(てんびん)にかけた妥協案といえる。現代の政治的議論でも、集団と個人の自由のどちらを優先するかという点で、多くがこの形式の契約を踏襲している。

ホッブズがこの論を展開したのはピューリタン革命の時代で、身に危険がおよんでいるのでないかぎり、契約を破ってはならないと論じた（言い換えれば「統治者に忠誠をつくせ」)。これに対し、のちにジョン・ロックとジャン゠ジャック・ルソーは契約をより平等なものと位置づけた。君主が不当な扱いをすれば、人民には立ち上がって反旗をひるがえす自由があると主張したのだ。

では、この契約の線はどこに引かれるのだろうか。どのような行動をもって、政府が取り決めに背いたゆゆしき事態とみなすのだろう？　また市民としての参画を怠ったり、罪を犯したりすることによって、私たちの側が取り決めを反故にしたととがめを受ける場合もあるのだろうか？

マキアヴェリ

君主論

人の上に立ちたければ、下にいる者を踏みつけなければならないのだろうか。金で動く、汚職に手を染める、あるいはニヒリズム的な考えに立つ者しか成功をつかめないのだろうか。企業の最高経営責任者の地位にある人の2割に、臨床上メンタルに問題があるとみなされる言動がみられるのはなぜだろう？

マキアヴェリの『君主論』に答えがある。

ルネサンス期のイタリアの外交官、ニッコロ・マキアヴェリの主著『君主論』では、力をふるい成功する統治者（イコールよい統治者、ではない）は地位を維持するためならあらゆる手段をつくす人物であると述べている（マキアヴェリが想定した統治者は男性のみ）。君主にとって目的は常に手段を正当化する。操作、欺き、賄賂、暴力、強迫、背信はすべて手元に備えた武器であり、表向きは「全体の利益」（もちろん『君主論』はそう定義する）だが、実際は支配者の地位を長く維持し安泰にするのが目的だ。

　引用したくなる名言は多い。

「策略によって勝てるものを力ずくで勝とうとしてはならない」

「愛と恐れはめったに両立しない。したがって愛されるより恐れられる方がはるかに安全だ」

「誰かに危害を加えざるを得ないなら、復讐を恐れるに足りないほどの打撃を与えねばならない」（ドラマ「ザ・ワイヤー」のオマールに言わせれば「君主をねらうなら外しちゃいけない」）

『君主論』はいわば人を操るための手引書だ。攻略ヒント集、あるいは専制政治マニュアルだ。

　現代の私たちが『君主論』をどう読むべきかは断言しにくい。プラグマティズム（実用主義）信奉者が説く「物事の真理」だろうか。独裁体制を敷きたい輩のためのチェックリスト？　はたまた単なる諷刺？　マキアヴェリの他の著作はいずれも教訓的で主流派と位置づけられる点を考えると、おそらく最後の解釈が妥当だろう。

　確かなのは、本書が当時与えた影響（多大な論争を巻き起こした）、そして以後さまざまな文化に与えてきた影響だ。マキアヴェリはいわば政治上の策謀と裏取引における孫子の兵法（278ページ参照）なのだ。シェイクスピアから「ゲーム・オブ・スローンズ」まで、マキアヴェリの提言を地で行くリーダーはあちこちにいる。冷酷にふるまい、権力を握り、自身の意思を通して人を動かす指導者が。

イブン・ハルドゥーン

帝国の盛衰

才能ある若手ミュージシャンが現れ、音楽シーンに革命を起こした。優れた音楽性で新たなジャンルを確立した彼は華々しくスターダムを駆けあがり、東京からロサンゼルスまで、世界各地のスタジアムを巡るツアーはすべて完売の盛況だ。だがその後、雲行きが変わりはじめる。セカンドアルバムはよかったが、一枚めほどの興奮はない。三枚めはややおもしろみに欠けた。四枚めになるとだれて切れがない。ドラッグか何かの過剰摂取の影響かと思ってしまうありさまだ。かくして才能がありながら覇気を失った彼は退場し、代わりに生きのいい、時流に乗った革命的才能が新たにその座に収まるのだった——。

聞いたことのあるような展開ではないだろうか。誰かの半生を追う映画にもよくある筋書きだが、アラブの歴史家イブン・ハルドゥーンにいわせると、古今を通じ帝国、国家、王朝はまさにこれと同じ道をたどるという。

イブン・ハルドゥーンがそう説いたのは、イスラム世界が分裂し衰退の道をたどっていた時代だった。預言者ムハンマドの時代から数世紀、歴代のイスラムの指導者カリフたちはスペイン南部からインドの国境地帯までを手中にしてきた。強大な力を発揮し、たちどころに帝国を築きあげていったのだ。ところが14世紀半ばには、アフリカ北部はいくつもの小さな王朝に分裂して互いに争い、スペインでもイスラム王朝はわずかな地域を治めるにとどまった。600年のあいだにイスラム世界は停滞し、崩壊寸前にまで至っていた。なぜそうなったのか、イブン・ハルドゥーンは大部の歴史書を著し答えを探ろうとした。

王朝の力は「アサビーヤ」と呼ばれる社会集団の連帯意識から生まれるとイブン・ハルドゥーンは分析した。アサビーヤは部族や国家、人々の団結心、結束を指し、一般的には厳しい環境に暮らす人のあいだで強くなる。アトラス山脈やサハラ砂漠のような土地では、集団の連帯なくしては生きのびていけないからだ。そのアサビーヤも、都会化が進んだり、文明に支えられた都市生活が定着したりすると、徐々に失われるか崩壊してゆく。

連帯意識に支えられ、自信に満ちた強力な征服者も、5世代もすればやがて退化し覆されるとイブン・ハルドゥーンは論じた。この興亡の過程には決まったパターンがあり、次の五段階で起きるという。

(1) アサビーヤに支えられた精力的な人民を広範囲で征服する
(2) 共同体を基本にした統治から、一人の君主、カリフ、指導者のもとに権力を統合する
(3) 公正な王がすべての人民のために繁栄をもたらす賢明な統治を行う
(4) 過信、虚栄、金銭で動く不正、縁故主義がじわじわと進む
(5) アサビーヤに支えられた新たな集団に倒され、権力を失う

帝国、王朝、征服者はすべてこの流れで興隆し衰退するとイブン・ハルドゥーンは指摘した。民主主義の台頭により帝国主義的な征服行為は終焉を迎えるといっていいのかもしれないが、イブン・ハルドゥーンが示した五段階の図式は、王家や世襲制の役職などに今もおおいにあてはまるだろう。

いわゆる「興亡の物語」に聞き覚えがあるのは、600年の時をさかのぼってイブン・ハルドゥーンが初めてつまびらかにしたからなのだ。歴史を検証した彼の

社会学的アプローチは現代では標準となり、その思想は14世紀のカリフが統治する時代だけでなく、今を生きる私たちの世界を理解する一助にもなる。

ヘルダー

ナショナリズム

あなたにとって自分のナショナリティ（国籍）はどんな意味をもっているだろうか？　あなたが堂々と自分を主張するタイプであれ、シャイで目を伏せているタイプであれ、「ネイション」つまり「国」「国民」「民族」という言葉にはなんらかの解釈や位置づけがあるのではないだろうか。パスポートを持っている、国境という境界がある、オリンピックで旗が掲げられて国歌を歌う、それが「ネイション」の意味だろうか？　それとも、自分の国らしいと感じる価値観や美徳だろうか？

18世紀、ナショナリズムについて最初に考察した哲学者の一人であるヨハン・ヘルダーにいわせれば、いずれも違う。前者は法的、政治的な意味での国を指すだけで、「ネイション」ではない。後者については、何であれいずれか一つの国や民族に固有のものとするのは無理がある。

ヘルダーはどのネイションもその「フォルクスガイスト（民族精神）」によって定義されると考えた。フォルクスガイストは民族の創造力の源泉であり、多くは深く根づいていて、はるか遠い昔から受け継がれている場合もある。「国民文化」という感覚はいくつもの要素から成り立っている。そのなかから三つ挙げてみよう。

(1) 言語

最大の要素。言語を習得するとはそこに「心を注ぎ込む」ことであり、言語が私たちの精神を表現する、とヘルダーは記している。私たちは民族の一員となり、その民族が人に言語を授ける。私たちは自分たちの言語で考え、話し、夢をみる。

(2) 領土

これは地図上に引かれた政治的な境界ではなく、人と土地とのつながりを指す。ワーズワースが愛した故郷の谷でもいいし、エマーソンが詩に詠んだ川、あるいはトルストイの農場かもしれない。ヘルダーはこれをその民族が現在領土としている土地に限定していない（イスラエル建国前のユダヤ人がこれにあたる)。

(3) 伝統

気質や習慣、思考、神話、伝説などを受け継ぎ、引き継いでいくことを指す。どんなふうに話し、どうふるまうかや、普段それに従って暮らしている暗黙のルールも該当する。英国人なら「バスに乗っていて見知らぬ人にいきなり話しかけない」「ほかに差し支えない話題がなければ天気の話をする」など。

この何が大事なのか、と思うかもしれない。ヘルダーが関心を寄せたのは一人ひとりの個人の幸福だった。私たちは一人ひとりみな違っていて、幸福な人生をどのように送るかはそれぞれが決める。それでも、近いフォルクスガイストを共有する民族や国民のあいだでは、幸福な人生とはどんなものかについて自然と一致する部分が出てくる。英国人であればある程度似たような志向をもっていて、それは例えば中国の人にとっての幸福な人生像とは違いがあるだろう。であれば、政治的に統合された一つの国の形をとり、各自の幸福追求に向けてみんなで協力するのが最善ではないか、という考えかただ。

重要なのは、ヘルダーは国家には多様な民族を支配する権限はないとしていた点だ。つまり、異なるさまざまな民族精神、フォルクスガイストを政治的な統治機構がまとめて封じることがあってはならない。ローマ帝国から大英帝国に至るまで、この種の帝国は「醜悪な巨塊」とみなされる。一方で、文化を共有する多数の国からなる国家、古代ギリシャや現在の米国のような連邦国家は「一つの家族であり、まとまった世帯」といえる。この観点から見れば、異なる文化を征服し従えようとする攻撃的なナショナリズムは、どんな場合も悪になる。

このように、ナショナリズムとは4年ごとに熱心に国旗を振ることでも、他の民族を下に見ることでもない。私たちがどうやって幸福を手に入れるかを決める文化的な構想だ。自分にとっての幸福と相手にとっての幸福が近ければ、人は同じ民族、同じ国の成員と結束する。みんなでともに実現できるのだ。

トゥキュディデス

不可避な戦争

あなたはこの界隈で幅を利かせている実力者だ。一帯の地域を牛耳っている。人々はあなたを見かけると黙って軽く一礼する。『ゴッドファーザー』のヴィト・コルレオーネとコロンビアの麻薬王パブロ・エスコバルを合わせたかのような扱いだ。しかしあるとき、風向きが変わる。町に新たな勢力が現れ、波風が立ちはじめたのだ。人々は新しい有力者に敬意を示すようになった。新たにやってきた勢力はあなたからお客を奪い、敬意を奪い、これまでの評判を奪った。さあ、あなたはどうする？

トゥキュディデスによれば、選択肢は一つしかない。戦うのだ。

トゥキュディデスはヘロドトスとともに、学問としての歴史学の祖と位置づけられる。ペロポネソス戦争を主題にした『戦史』では、アテナイとスパルタの間で起きた大規模な戦いの全容を正確に記述しようとしただけでなく、この戦争を例に、国家、そして力による政治が時代を問わずいかに機能するかをめぐる地政学的な法則を引き出そうとも試みている。

当時、スパルタは古代ギリシャで支配的な力を握り（「覇者」の立場)、アテナイは勢いのある新興勢力としてスパルタの地位を脅かそうとねらっていた。こうした状況では、両者が争いになるのは必至であるとトゥキュディデスはいう。優勢な立場にある者が新たな勢力とぶつかるのは常なのだ。国際関係では、この考えかたをリアリズム（現実主義）という。

おおまかにみると、リアリズムの主張は次の三点に集約される。

(1) 人間の本質はもともと利己的であり、国家レベルでは自衛の必要性という形でそれが現れる。

(2) 倫理性や、理想上の概念としての正義は国家間では顧みられない。

(3) 世界秩序は無政府状態である。つまり国家の行動を上から正せるような力は存在しない。

トゥキュディデスは『戦史』の「メロス島の対話」のくだりで史実を再構成し、この三点に触れている。「メロス島の対話」では、アテナイが小島メロスをあっさり降伏させた際のやりとりが再現されている。メロス島民の「正義の主張」をアテナイ人は次のように一笑に付す。「どちらかが強い場合、強い者はより多く取り、弱い側はそれを受け入れるしかない」

そうなると、リアリズムは国際関係における食うか食われるかの争いを意味する。戦争は自国中心的な国家が先制的に自衛する手段とみなされる。外国との関係は突き詰めればすべて、国同士が支配の機会をねらって（兵力や策略も用い）しのぎを削る状態、ということになる。覇権が安全を保証するのだ。

リアリズムを広めた人物としては、マキアヴェリやホッブズのほか、現代の国際政治学者ジョン・ミアシャイマーが挙げられる。歴史をたどってみると、この理論を裏づける例には事欠かない。古くはローマ対カルタゴからオスマン対ビザンツ、スペイン・ハプスブルク家対敵に回したその他大半、大英帝国対フランス、日本対中国、ソ連対NATOなどなど。

2012年、政治学者グレアム・アリソンは「トゥキュディデスの罠」という言葉を用い、米国（現在の覇権国家）と中国（新興国家）が破滅を招く衝突への道をたどっていると指摘した。

　これについては、トゥキュディデスが間違っていたことを願いたい。

マルクス

歴史観

歴史は一直線に飛んでゆく矢のようにはいかない。大きな群れのように動くものだ。21世紀の今、ポストモダンのデジタル時代を生きるわれわれは、暗く膨大な時間という沼の中のわずかな一滴にすぎない。この先、書物に記されたわれわれのことを誰が読むというのだろう？　その取るに足りない望みや心配や感情をわずかに書きつけても、誰が気にとめるだろう？　未来の誰かにとっての私たちは、今の私たちにとっての中世の名もなき農夫と同じだ。絵画の背景をつくるかすかな絵具のひと塗り、交響曲の中でかすかに響くトライアングルの音、あるいは（もしかなり首尾よくいけば）誰かが書いた小説の10章めに出てくる名もなき登場人物のようなもの。歴史を織りなすのはいくつもの大きな動き、社会、物質的な強大な力による確かな前進だ。私とあなただけの話ではない。

これが「弁証法的唯物論」に基づくカール・マルクスの歴史観だ。現在に至るまで、私たちの歴史観はなんらかの形でこの思想の影響を受けている。

マルクス以前の学問の世界では、トマス・カーライルがいうように、歴史を突き詰めればすべて「偉大な男たちの伝記」になるとする前提が大勢を占めていた。少数の例外（324ページのイブン・ハルドゥーンはその例）を除けば、歴史をごく少数の英雄的な男たちによる行動の結果とみなすのが普通だった（ここで登場する人物は常に男性が前提）。すなわちカエサルがローマ帝国をつくり、アルフレッド大王がイングランドをつくり、ジョージ・ワシントンがアメリカ合衆国をつくり、ナポレオンがフランスをつくり、アダム・スミスが資本主義をつくった。偉大な男たち、偉大な思想、新たな時代を拓く数々のできごとがあって、いま私たちがここにいる、というわけだ。

マルクスはこれを無意味だと一蹴した。マルクスにいわせれば、誰か一人が歴史をつくるわけではない。人間は「過去から与えられ伝えられてきた、すでにある環境」に合わせて生きていく。どんな政治制度も、法規と法制度も、慣習や文化規範も、すべてマルクスが「生産力」と呼ぶ、社会経済的要素からなる複雑な複合体の結果であると説いた。人間の生活における上部構造、つまり身のまわりで目に見えるあらゆるものは、自然資源や技術、労働市場、そして必然的に階級闘争（130ページ参照）といった物質的環境の土壌から生まれたのだ。

マルクスの観点で見ると、歴史上のできごとはどれも単純には説明できない。階級、生産手段、物質的要素などの関係から明らかになる入り組んだ全体像に目を向けなくてはならないからだ。例えば封建制度における階級の構造は、中世の農耕技術（農具）と人の手による技術（生産手段）のありかたから生まれた。財産権という法制度は、土地の所有者が近代経済を支配する動きを見せはじめたあとに登場した。つまり、すべてが物質主義の側面（唯物論）から説明できることになる。

マルクスの思想は幅広すぎるがゆえに、得てして正当に評価されていない。マルクスの資本主義批判や歴史観は万人に受け入れられないかもしれないが、彼の思想はそれ自体革命的であったことは否定できない。それ以前にも社会学的な視点で歴史上の事件をとらえた歴史家はもちろんいたが、マルクスほど広い学識と鋭さをもって考察した者はなかっただろう。

バーク

保守主義

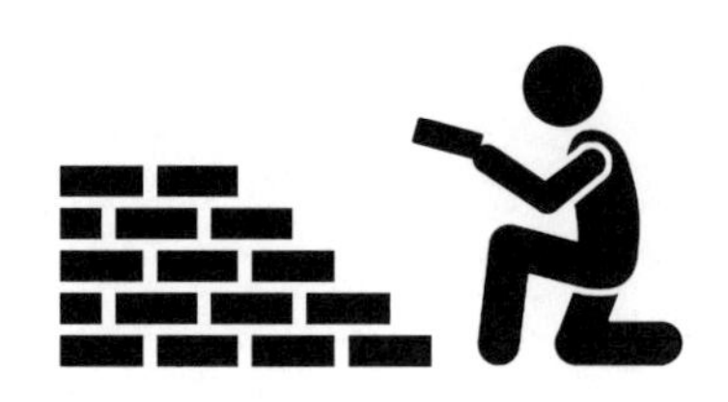

新しい優れた体制、輝かしい計画、偉大な革命の足音が聞こえてきたら、どうするのがいいだろう？　新たな概念のために既知の物事をすべて解体し、手持ちの何もかもを覆すべきなのだろうか。イデオロギーに熱狂するがゆえに、何世紀も前から伝わる先人の知恵を犠牲にして？

アイルランド生まれの18世紀の政治家で「保守主義の父」とされるエドマンド・バークは、声を大にして「ノー」を突き付けた。

安定し成熟を極めた社会は一夜にして生まれるわけではない。孤高の哲学者たる王が統治モデルを使って築いたわけでもない。社会は千年単位の自然かつ本質的な成長と、積み上げてきた英知の産物だ。無数の挫折した実験が結実した最高の結果だ。ローマは一日にしてならず、何世紀もかけて挑戦と失敗、敗北と挫折を繰り返した。

バークは個々の人間の理性をおおいに疑っていた。同時代に起きたフランス革命を楽観的に受け止める人々とは対照的に、バークは人間は利己的で先を見通せず、過ちを犯しやすいと考えた。個々の人間がもつ「個人の理性」など、「国民規模で時代を超えて築いてきた理性」とくらべればちっぽけなものだ。人間は「他者の知恵に敬意を払わない」のに、みずからの知恵には独りよがりの自信をもっている、とバークは批判する。

今の時代で抜きん出た優れた知性も、一人の知性にすぎない。現在どれだけ社会を席巻している動きも、伝統という大海の前では一滴のしずくでしかない。バークが生きた英国の民主主義も天から降ってきた奇跡ではなく、長い時間をかけてじわじわと起きた変化のたまものだ。一撃で急激に社会を変えようとするのは、傲慢にも数々の伝統や先人より自分たちの方が優れているとみなしていることになる。私たちはつい最近やってきて壁を構成している一塊のレンガにすぎない。この壮大な構造全体を倒してしまおうなど、思い上がりではないか。「古いというだけで従来の制度を破壊」し、「急ごしらえしたしくみがこの先どれだけ持続できるかなど危惧もしない」者にどんな知恵があるというのか。

バークの保守主義とは、変化せず硬直した、イデオロギー的にあらゆる進化に反対する立場とは違う。変化は（つまらないものでも複雑なものでも）慎重に、熟慮のうえで進めるべきだと説いた。革命は性急に答えを求めたがる。思い切った大きな変革を起こしたがるが、バークに言わせればほとんどの場合、大きな傷を残すか、恐怖政治をもたらす。

ただ、国家は前進しなくてはならない。みずから改善していく可能性を否定する国はいずれ滅びる運命にあるとバークは考えた。ただ、変化は徐々に、かつ元に戻れるように進めるのが重要だという。斬首刑に失敗の余地はない。

政治家や友人が性急に何かを根本的に変えようと威勢よく言いだしたら、立ち止まって考えてみてほしい。バークいわく、極端で反射的な反応が賢明な例はめったにない。先人たちの知恵は、今私たちが思うよりずっと優れているかもしれないのだ。

ペイン

革命

型にはまるとは危険なものだ。人はとかく「今までずっとこうだったから」と言いがちで、そもそもなぜそうなのかをあらためて考えてみることはめったにしない。となれば、真に新しい、革新的な行動を起こすには、これまでの経験やしがらみをすべて振り払う相当な努力が必要になる。

米国の政治哲学者でアメリカの独立革命とフランス革命の擁護者として影響力を有したトマス・ペインは、これが政治に対する一般的な見解だと指摘した。どれだけ欠点や不当な点があっても、われわれは幸いそれしか知らないがために受け入れ、ただ乗っかってきたのではないか？　ペインの言葉を借りれば「ある物事が間違っていないと長い間思っていると、それが表面的には正しく見えるようになる」のだ。

人間は誰しも必ず、絶対的で侵すことのできない権利、すなわち生命、自由、言論と信仰の自由を有しているとペインはいう。さらに安全と保護を保証する市民権もあり、国や政府が存在するのはまさにそのためだ。

権力者が一般に「伝統」を隠れ蓑にしてこれらの自由を侵害しようとしたら、どの世代であっても現体制に反旗をひるがえし倒してもよく、むしろそれが義務でさえある。前の時代の政治体制に現代のわれわれを縛る権限はない。人は「いつの時代および世代であっても、自分たち自身のために行動する自由を有する。墓の下にいても統治しようという虚栄と思い上がりは、いかなる専制のなかでももっともばかげていて不遜である」とペインは論じる。先人にも知恵はあっただろうが、今のわれわれを治める立場にはない。

クエーカー教徒だったペインは人間が生まれもつ完全性、キリストの内なる光、良心に目を向け、本質的に反権力の人だった。政府は必要悪とみなし、人民に仕える僕であって人民の上に立つ主人や君主ではないと位置づけた。こうした観点が、不当な扱いをしたり権利を侵害したりする国家を人々はいつでも倒すべきだとの考えを支えていた。

革命家が必ずしも篤い信仰をもっていたわけでは到底ないが、どんな国家の法にも勝る絶対的な価値体系に対する使命感を抱いていた点は共通する。キリストによるパリサイ派への非難しかり、マグナカルタのいう「法の支配」しかり、さらにはペインやルソーの自然権思想、マルクスが唱えた労働者階級の地位向上、現代の絶対主義者が語る「人権」もそうだ。革命のよりどころとなるのは国家や伝統に付随するものを超える価値観なのだ。

私たちは伝統よりも自分の原則を重んじているだろうか。自身の掲げる理想に従って生きる勇気があるだろうか。挫折が予想されても理想を追う大胆さを備えているだろうか。ペインは宣言する。「われわれは世界を再び始める力を備えている」

型にはまることそれ自体が危険なのではなく、誤りを常態化させてしまう点に危うさがある。一つの声、一つの強い思いがあなたに自由をもたらすこともあるのだ。

アダム・スミス

見えざる手

牛乳がペットボトルの水より安いのはなぜか、考えたことはあるだろうか？ クリスマスを過ぎると何でも値下げされる理由は？　ダイヤモンドはなぜそんなに価値があるのか？　いっとき流行ったハンドスピナーはどこへ消えてしまったのだろう？

スコットランドの経済学者アダム・スミスはこれらすべてに答えを出した。「見えざる手」の仕業だという。

1700年代、欧州の大部分は重商主義的な経済体制だった。つまり、国の富は生産したものの蓄積と貨幣の供給からくると考えていた。その結果が統制経済またはトップダウン型経済と呼ばれ、国の指導者は自国の産業を必死に保護し、他国との貿易で生じる損失を抑えようとする。スミスはこれをまったくの誤りとみなした。

スミスが掲げたのは「すべての人が交換することによって生きていく」商業主義だった。国家が自足にこだわるのは非効率であり、目指すべきはそこではないとスミスは主張した。労働は専門の分野に分割し、身につけた知識を必要なものと交換するべきだと説いた。

そのためには「富」は二つの形をとる必要がある。一つが資産（所有するものや必要なもの）、もう一つが資本（移譲できるものからなるが、多くの場合は金銭）だ。この資本という富があるために、われわれは適切とみなしたものに使うことができる。人々がとる消費行動が全体で「見えざる手」をつくり出し、それが価格や需要と供給を調整する、というのだ。

あるパン職人が同じ質のパンを別の職人の2倍の価格で売れば、買い手は安い方に集まるため、価格は総じて下がる。ある製品の需要が急に高まれば、見えざる手が供給者をつくり出して需要に応える。

完全に自己の利益を追求しているわけだが、悪いことではないとスミスはいう。私が値打ちの品を求めて回れば全体で価格が下がる。私が資本を増やせば生産量が増えたり新たな何かが生まれたりして、みんなの利益になる。私が新しい事業やプロジェクトを立ち上げれば、たちどころになんらかの需要を満たすことになる。満たされないまま置き去りにされる人はいない。

見えざる手は上意下達式のお上よりずっと私たちをよくわかっている。なぜなら見えざる手は私たち自身だからだ。見えざる手は時の流れとともに動き、その時々の流行やニーズに応える。政治家がハンドスピナーなど聞いたこともないうちから、市場へ大量に送り込む。

アダム・スミスはまったく無制限の自由市場を提唱したと解釈されがちだが、これは不当だろう。スミスは市場の力に左右されるべきでない重要な分野があると述べ、防衛、司法、そして教育や橋の建設といった公共事業を挙げている。いずれも個人の資本で担うものではない。現在ではこれらの分野も一部が民間市場に開かれている点は興味深い。

1776年刊行のスミスの著書『国富論（諸国民の富）』は、巷でありがちな評価よりもずっと深い繊細な意味が含まれている。後世の資本主義はスミス一人がもたらしたわけではないものの、その思想はほかの何にも増して社会に変化を起こしたといっていいだろう。

トクヴィル

民主主義を守る

自分以外の多数派の希望にやむを得ず合わせた経験はないだろうか。家族で持ち帰りの夕食をオーダーすることになって、話し合ったところ中華がいいと言ったのは自分一人だった、なんて経験があるかもしれない。みんなで映画を観にいくとき、本当は最新のピクサーアニメが観たかったのに、しかたなく「ワイルド・スピード」の新作を観るはめになった、なんてことは？　いつも意見が採用されない側に回り、決して多数派になれないとしたら、どんな気分だろう？

フランスの貴族の生まれで外交官だったアレクシス・ド・トクヴィルが1831年、大学進学前に米国を視察した際、懸念したのがこの点だった。民主主義を遂行する国が単に「多数派が専制する」国にならないためには、どうすればいいのだろう？

トクヴィルは時代の変化の兆候を感じ取っていた。絶対王政の時代、貴族が力を有する時代は終わりを告げようとしている。欧州各地で繰り広げられる革命をみれば明らかだ。世界はデモクラシーへ向かっている。そこでトクヴィルは、人生を憂えた理論家なら誰もがとるであろう行動に出る。「デモクラシーそのものの姿」を見てくるため、米国へ向かったのだ。「デモクラシーの進化に何を恐れ、何を期待すべきかを学ぶため、その特徴と偏見、情熱」をみずからの目で確かめようとしたのだった。おそらく充実した時間も過ごしたのだろう。

トクヴィルが何より懸念したのは、特定の人のための法が人類全体の法に優先される世界で、声の大きい支配集団が自分たちだけに有利な決定をするのをどう防ぐかだった。

トクヴィルはアメリカを現在でいう資本主義的物質主義の頂点とみなした。「物質的生活の快楽」は「国民にとって支配的な好み」であり、富と利益が社会を動かす原動力であると指摘した。トクヴィルはこうした価値観、「人間を物質化する」動きが、異なる価値観をもつ少数派を含むすべての人に押しつけられることを危惧した。数の上で優勢な多数派が何をもって正しいかを決めるのなら、何が価値観の民主化を阻止するのだろう？

しかしアメリカはそうはならなかった。選挙における敗者も、自国を離れて移り住んだ大勢のマイノリティたちも、保護されたのだ。トクヴィルが祖国フランスで目にした恐怖と専制政治への転落を米国が免れたのはなぜだったのか。

一つめは、米国人が政治的にきわめて活発で、とりわけ結社が盛んだった点だ。ロビー団体、利益集団、教会、教育委員会、慈善団体など、実にさまざまな結社がつくられた。これにより少数派も結束し声をあげて存在を示す機会を得、国内で影響力を発揮できた。

二つめが、アメリカはキリスト教思想を強固な基盤にして築かれたという点だ。大衆的物質主義では与えられなかった価値観を宗教は与えてくれた。トクヴィルはいう。「徳性なくして自由は確立されず、信仰なくして徳性は確立されない」宗教は政府より上に位置し、個人にとって道徳的な良心として機能し、多数派が決める規則を監視したのだ。

現代の私たちがトクヴィルから学べることは多い。例えば、宗教の影響力が落ちている今の世界で、物質主義の専制をどうやって阻止できるのか。すべての人、とりわけ少数派の権利を守り自由を守れるかは個人の価値観にかかっている。社会でそれが得られないのなら、宗教をもはやあてにできない今、どこで手に入れられるのだろう？

カント

世界平和への道

哲学はときおり、あまり物の役には立たないと批判されてきた。それも仕方あるまい。奇抜な汎心論（314ページ参照）も、プラトンの抽象的な世界観（114ページ参照）も、バークリーの独我論的な観念論（168ページ参照）も、「役に立つ発明大賞」の候補には到底あがらないだろう。せめて一つ、何か壮大でりっぱな観念を提示できればいいのかもしれない。世界を未来永劫よい方に変えられるような何か——例えば世界平和をもたらしてくれるような思想はないのだろうか？

カントが編み出したと考えたのがこれだった。1795年に発表した小著『永遠平和のために』で、カントは戦争のない世界を築くための道のりを段階を追って考察した。

カントの世界平和論は、人類学、政治学、哲学的な合理性、そして啓蒙の時代らしい希望ある楽観性を少し加え、（彼にしては）読みやすくまとめた構想だといえる。国家がとるべき道として、次の三つの「確定条項」を示している点でもきわめて明快だ。

(1) 国は共和的な体制をとること。カントがいう共和的な体制とは、法の前の平等のもと、選ばれた市民からなる立法府を有する制度を指す。法をつくるのが市民であることから、共和制は人々の同意と合意に支えられる。この体制においては、「戦争のような惨禍を招く」あるいは「自分たちの土地から戦争という犠牲を払う」ような選択をする市民はいないはずだとカントは論じる。戦争を起こそうとするのは、失うもののない富裕層のオリガルヒや独裁者くらいのものだ、というわけだ。

(2) 共和制国家の連合を形成すること。この国同士の連合体は現在でいう商業圏、あるいは不可侵条約に近い。商取引で結びついた国同士は戦争を起こさないはずだ。そんなことをして誰の得になる？　この種の連合ができるのは「国家同士の友好関係を求める熱狂ではなく、自国の利益になるから」だ。どんな国も繁栄を望むのだから、そこから商業圏としての連合形成に向かうのは理にかなっている、というのがカントの理論だ。国としての統治権やアイデンティティを失う必要はないし、イデオロギーや文化、宗教、言語が画一化されてしまうこともない。

(3) コスモポリタン（世界市民）であること。悲惨な戦争をひとたび経験した人間は、人類に対するみずからの義務をいやでも認識するはずだとカントは考えた。カントの世界市民論は人類をなんとなく融合しようという概念ではなく、相互の尊重と表現するのが近い。他者を人間扱いしない、手の施しようがない悪とみなす、どんな形であれ下に見るといった態度では、平和は続かない。

カントが示した平和の構想は1990年代、ソ連が崩壊しフランシス・フクヤマの『歴史の終わり』（354ページ参照）が世に出たあとで一躍注目が集まった。その影響は、アメリカのウッドロー・ウィルソン大統領の提言による国際連盟の創設（失敗に終わるが）、続く現在の国際連合にもみられるが、もっとも強く受け継いでいるのは欧州連合（EU）だろう。貿易上、密接な関係にある民主主義の国同士が戦争に突入するケースは、あったとしてもきわめて稀であることは歴史が示してきた。この点においてカントの主張は真理をとらえているといっていい。ただ問題は、カントが提言した三つの確定条項は、簡単な道のりどころか相当高い壁に見えることだろう。

ガンジー

非暴力

あなたは「右の頬を打たれたら左の頬も向ける」タイプだろうか。それとも「目には目を、歯には歯を」だろうか。抑圧者が現れたら、立ち向かって戦うか、あくまで平和的解決を探るか、どちらだろう？　社会活動において、マーティン・ルーサー・キング牧師が貫いた非暴力と、マルコムXの自衛のために暴力も辞さないやりかたでは、もっとも有効な手段だといえるのはどちらだろうか？　平和的手段は暴力に勝てるのだろうか？　攻撃的な態度はさらなる攻撃を生むだけなのだろうか？

植民地支配からの解放運動を率いたインドの指導者で、非暴力・不服従運動の原点であるマハトマ・ガンジーは、暴力は触れたものをことごとく崩壊させると説く。平和で安定し、徳を備えた国は、流血や破壊行為からは生まれ得ないのだ。

ガンジーはインドと西洋双方の知の伝統に学び、非暴力に対する強い意志はヒンドゥー教とキリスト教思想の興味深い混合から生まれた。ガンジーによると、非暴力は共感が進化した末の自然な結果だという（トルストイの影響がみられる）。人はまず自分自身と身近な親族を守ろうとする。次が同じ部族や村、国のメンバーだ。そして最後に人類全般に愛情や思いやりを向ける。人が互いに傷つけあい殺しあうのは人間生来の本能に反する、とガンジーは考えた。

ただし、おそらくガンジーが必ずしも常に評価されていないのは、絶対的な平和主義者ではなかった点だろう。事実、ガンジーは時には暴力も避けられない場合がある、と述べている。

一つには、その人本人のためであれば命を終わらせることが正当化されるケースがあること。今日であれば、不治の病など特別な場合に認められた安楽死がこれにあたるだろう。二つめに、非暴力は目指すべき理想、よりどころとする理想としての性格が強いこと。人は時に板ばさみにおちいり（暴徒から子どもを守れなかったなど、結果的に非暴力がより重大な悪をもたらすケース）、勇敢さに欠けていることを隠すために非暴力を言い訳にすればむしろ恥ずべきだとガンジーは認識していた。「非暴力を臆病であることの盾にしてはならない」とも述べている。逃げたり隠れたりするのは非暴力ではない、というのだ。

ガンジーが唱える非暴力のヒンドゥー教的な要素はどこにあるかというと、状況や関係性によって人にはさまざまな種類の義務があることを指摘している点だ。私たちが家庭で担う義務は、政治上、あるいは宗教上の義務とはかなり異なるだろう。非暴力は人間の道徳面の修養における個人的な義務であるとガンジーは位置づけた。そう考えると、自身の信仰や家族が脅かされた場合、暴力を行使する余地が残されることになる。暴力は決して正当化はされないものの、特殊な条件の下で必要に迫られた場合は免除される、許される、とするのがガンジーの主張だ。

ガンジーの非暴力論は一般に思われているよりずっと複雑な条件や見解が含まれているのだが、政治的な暴力は一切許されないとみなす立場は揺るがない。インドの人々が英国打倒のために武力に訴える行為は政治的な暴力にあたる。圧力をかけて強要しても高い次元の理想は実現できない、というのがガンジーの主張の理由だった。暴力は最後にもたらされる結果に必ず汚点を残す。「暴力的な手段に訴えれば暴力的な自由がもたらされる」のだ。革命と国家の独立を崇高な正義とみなすのなら、横たわる屍の上にそれを築くことはできない、とガンジーは考えたのだった。

エンゲルス

思想の自由市場

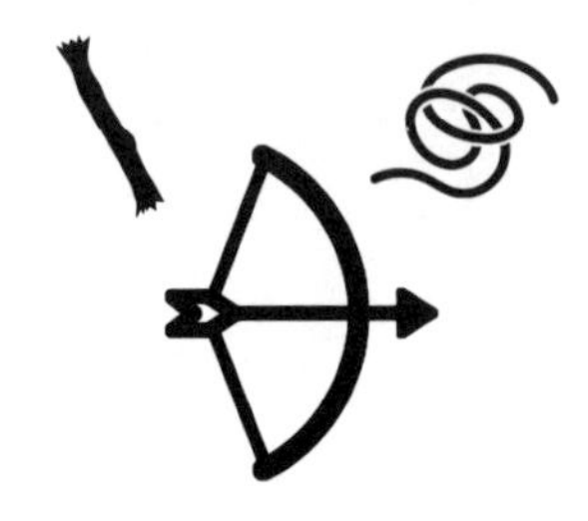

二つのまったく異なる文化、意見、思想がぶつかりあって火花を散らしあうとどうなるだろう？　いわゆる「思想の自由市場」は理想の社会を生み出せるのだろうか。人と人が一緒に新たなものをつくり出すことの何がいいのだろう？

この問いを考えるとき、たどり着くのが弁証法だ。

弁証法という思考方法を広めたのはドイツの哲学者ヘーゲルだ。弁証法とは、二つの異なる世界観をぶつけあって対話、議論を深め、共通の真理を探り、対立から解を導き出す方法をいう。ヘーゲルに続き、この弁証法の概念を唯物論の立場で最初に形にしたのが、ドイツの思想家フリードリヒ・エンゲルスだった。ヘーゲルは精神（ガイスト）、もっといえば世界精神（134ページ参照）が啓蒙思想の目指す理想社会に向けて前進を続けていると考えたのに対し、エンゲルスは社会と歴史、人間の発展に注目し、人類が前進するのはモノを生産し発明する必要があるからだととらえた。すべての進化は物質的な必要性を満たすためなのだ。

個人レベルであれ社会レベルであれ、大事な発展はみな人と人の結びつきや共同作業の産物であるとエンゲルスは説く。それは町の市場で、あるいは一流の大学で起きるかもしれない。夕食の食卓で交わす政治談議や、みんなが好きなインターネットの掲示板でもいい。物事を共有するところに生産力が生まれる。

未知のもの、相いれないものに出会うと、人は時に迷信にとらわれて破壊したり、「異端」ととらえて燃やしたりもする。だが多くの場合、新旧の概念を突き合わせ、混ぜあわせ、一つにしてみると、目を見張るような独自の新たな何かが生まれるものだ。

ダーウィンの進化論も弁証法によるところが大きい。親からの遺伝は二つの別々のものの出会いから生まれるという点で、弁証法でいう「第三の道」の好例といえよう。歴史を振り返っても、大きな前進の多くは大規模な文化の交流が生まれた際に起きている。ムーア人のヨーロッパ進出しかり、モンゴル帝国のユーラシア大陸支配しかり、ヨーロッパ人による「新世界」の発見しかり。

エンゲルスの考察がその後のマルクス、次いでレーニンに影響を与えたのは想像に難くない。エンゲルス自身、協働より独占に熱心な「利己主義」のせいで社会が貧弱になると考えた。専制政治も、身びいきが幅を利かせる資本主義も、欲深い行いもみなそうだ。偏狭な姿勢でいれば、進歩と発展の芽は育たない。

フクヤマ

歴史の終わり

やれやれ、大変な戦いだった。だが勝ったのは私たちだ。あなた方の異質なイデオロギーと、とんでもない駆け引きと……残念ながらそちらの負けだ。いやいや、誤解しないでください、あなた方は健闘しましたよ。19世紀のマルクスという男の時代、こっちはもう少しでやられるところで、ソ連も本当にきわどかった。でもね、王道のハリウッド映画がみんなそうだが、自由を愛する、リベラルでリッチな人間、資本主義者が最後は勝つんだ。さあ、エンドロールを流してもらおう。戦争は全部終わる。みんなこの船に乗ればいい。自由民主主義は最強なのだから。

米国の国際政治学者フランシス・フクヤマによると、これが今日の国際関係の筋書きだという。いわく、1991年にソ連が消滅して以来、イデオロギー闘争において自由民主主義が勝利した。これをフクヤマは「歴史の終わり」と表現したのだ。

このよく知られた（かつ論争を巻き起こした）考察が最初に発表されたのはベルリンの壁崩壊前であることから、これを予言したとの評価は受けてしかるべきだろう。フクヤマの主張は本質においてヘーゲルの歴史観の応用であるといえる。ヘーゲルは、完璧な理想社会ではなくとも実現可能なかぎり最良の未来へ向かう進化として歴史をとらえる。この「実現可能なかぎり最良」な状態が、自由民主主義の形をとったとフクヤマは論じる。繁栄と平和という二つの恩恵をこのような形で人間に授けられるものはほかに存在しない、とする立場だ。

欧州各国や北米に代表されるほか、それに追随した日本などでもそうだが、自由民主主義は長く安泰な人生に加え、安心と安全も保証する。国の体制を批判したからといって処刑される心配もない。自分がしたいようにすればいいし、言いたいことを（たいていは）言っていい。好きなように結束していいし、体制や権力の濫用が目に余れば批判の声をあげることも、票を投じて方針を変えさせることもできる。こうしたすべてが可能なしくみが自由民主主義のほかにあるだろうか？　人間の尊重と安全、威信と繁栄をこうして絶妙にもたらせるイデオロギーがほかにあるだろうか？

もちろん、フクヤマが予言したほどすんなりと闘争は終わってはいない。中国が進める国家資本主義は安全保障と威信を備えつつ、無制限の自由とはいえないものの、中国独自の姿勢を確立している。北朝鮮やロシアなど、全体主義的な体制もしぶとく力を維持し続けている。さらには全般的なポピュリズムの台頭、そして自由民主主義の内部にわき出る不安感は、勝利したはずのイデオロギーの核心にひそかな、はかり知れない病理がくすぶっていることを暗に意味している。何かが間違っているのだが何かわからない、そんな状態なのではないか。

フクヤマの主張はさまざまな点で正しい。自由民主主義は過去に例のない形で繁栄と安全を供給してきた。だが果たして、これは私たちが考えていたような、おとぎ話的なハッピーエンドなのだろうか。もしくはもっと強力で恐るべき新たな悪役がどこからか現れて、歴史への戦いを挑もうとしているのだろうか。もしそうならば、誰が勝利を収めるのだろう？

謝　辞

他のものと完全に切り離して説明しつくせるものはない。あらゆるものの背景には、それがそこに存在する幾多の理由がある。この本も例外ではない。

私の哲学への愛は母と父がいなければ生まれなかった。母ローズマリーは問うことの大切さを、父マイケルは本を読む喜びを教えてくれた。両親は常に私の知るもっとも賢明な人であり、二人を心から愛している。

常に変わらず支えてくれる兄弟のジェイミー、そしてウォーリー、エリー、ショーン、クロエに感謝したい。いつでもそばにいてくれるみんなとはさまざまな考えを話し合い、実にたくさんのすばらしい会話ができた。

フィリップ・マラバンドには特別な感謝をささげたい。私がどれほどその存在を大切に思っているか、彼自身はわかっていないと思う。その落ち着いて思慮に富んだ優しい物腰は、哲学とはどうあるべきかを教えてくれた。

ワイルドファイア社のとんでもないみなさんが書籍化を決めてくれたことにはいまだに信じられない思いだが、みなさんの英断におおいに感謝したい。アレックス・クラークと彼のチームはみなすばらしい、楽しく気さくなメンバーばかりだ。編集を担当してくれたリンジー・デイヴィスの名は特に挙げておかなくてはいけない。彼女のアドバイス、行き届いた目配り、細かいところまで正確を期した年代確認、私のジョークを笑ってくれる心の広さ、すべてに対してありったけの感謝を送りたい。

当然ながら、チャーリー・ブラザーストーンがエージェントを引き受けてくれなければ本書の企画は実現しなかった。誰もが彼を嫌いになれないようなその人となりも大きい。人に賛辞を送りそれを心からの言葉で伝えられる、魅力的で真摯な人間というのがいるものだが、彼はそんなタイプの一人だ。

最後に、あらゆる点で寛容を貫き、温かく揺るぎないサポートをくれる妻タニアへ。タニアと息子フレディは、私の人生の意味を新たに書き換え、それまで見過ごしていた実に多くのことに彩りと意義を与えてくれた。そのすべてが二人のおかげにほかならない。

訳者あとがき

人生の悩みや苦しみに意味はあるのか。なぜ世界平和はなかなか実現しないのか。神を信じた方が得なのか。正義とは何か。母性なるものは誰にでも備わっているのか。動物より人間を優先するのは正しいのか。そんな誰もが一度は抱いたことのある「哲学的な」疑問を考える手がかりを、さまざまな方向から示してくれるのがこの本です。

原題を *Mini Philosophy: A Small Book of Big Ideas* という本書には、哲学の誕生以来、人間が2500年かけて深めてきた思索、考察が、象徴的なイラストとともに134項目収められています。哲学と題されてはいますが、その主題は代表的な哲学や倫理学の思想はもちろん、政治・社会思想から文学、心理学、わび・さびの美意識まで多岐にわたります。

著者も冒頭で述べているように、哲学と聞くとなんとなく敬遠してしまう人は少なくないのではないでしょうか。それを表すように、書店の哲学書コーナーには偉大な哲学者の思想を「わかりやすく紹介した」入門書が並んでいます。その中にあって本書は、数々の哲学思想のエッセンスを解説した本というよりは、私たちが日々生きていくなかで抱く大小の疑問や迷いをすくいあげ、「それについては古今東西の哲学者がこんなふうに考え、こんな解釈と答えを導き出していますよ」と示してくれる手引き、といった方が近いでしょうか。

賢人たちの言葉と思想の一端にふれると、時代とともに共同体のありかたや社会とコミュニケーションの形が変化しても、人間には根本的に変わらない部分があるのだと感じるものです。不正への憤りや、他者への嫉妬、ちっぽけな自分への劣等感、死への恐れ、対立を乗り越える知恵など、いずれも掘り下げて思索を深めた先人がいることにあらためて気づかされます。あるいは、人間の本質や独自の世界観を追求した先人の示唆に富む考察を通じて、自分では意識していなかった世界が目の前に開け、はっとさせられることもあります。

著者は英国オックスフォードで哲学の教師を務め、学生との対話と「難解な哲学書をマゾヒスティックに」読んできた経験から本書が生まれたといいます。本書と同じスタイルの「ひとくち哲学」をインスタグラム（@philosophyminis）で発信し好評を得ているほか、哲学を基盤に幅広い考察を寄稿、発信しています。

なお、本文内に出てくる文献の引用については、邦訳のあるものは参考にさせていただいた上で、文脈に合わせて拙訳を用いました。

本書には哲学と思索への134の扉が開かれています。紹介されている思考実験を試し、いいなと思った視点や考えかたを取り入れてみるもよし、興味をもった思想があれば関連する書物を読んでみるもよし。私自身はマルクス・アウレリウスの『自省録』とモンテーニュの『エセー』（の抄訳）を手に、いかに生きるかを考える思索の旅に出ようと思っています。

この本を入口にして、哲学はおもしろいと感じ、さらに深く掘り下げて知りたいと思ってもらえれば、と著者は読者に向けて書いています。何か一つでも、多様な価値観をもつ一人ひとりが人生を「よく生きる」ためのヒントとなり、これから歩む道を照らす光が見つかればうれしく思います。

2023年2月

［著者紹介］
ジョニー・トムソン　Jonny Thomson
イギリス・オックスフォードで哲学を教える。学生との対話と、哲学書を読むことへのややマゾヒスティックな執着から生まれた人気のインスタグラムアカウント Mini Philosophy（@philosophyminis）を持つことでも知られる。
哲学以外にも、生命の起源、言語学、発達心理学、タイムパラドックス、精神分析、古典小説や詩の分析など幅広いテーマについて執筆を行っている。本書が初の著書。

［訳者略歴］
石垣　賀子　Noriko Ishigaki
翻訳者。静岡県生まれ。立命館大学産業社会学部、ウィスコンシン大学（英語言語学専攻）卒業。訳書にランディン、ポール＆クリステンセン『フィッシュ！〔アップデート版〕』（共訳）、フォスリエン＆ダフィー『のびのび働く技術』、マルティネス『サルたちの狂宴　上・下』（以上早川書房刊）ほか。

ひとくち哲学（てつがく）

134の「よく生きるヒント」

2023年3月20日　初版印刷
2023年3月25日　初版発行

著　者　ジョニー・トムソン
訳　者　石垣賀子（いしがきのりこ）
発行者　早川　浩
印刷所　精文堂印刷株式会社
製本所　大口製本印刷株式会社
発行所　株式会社　早川書房

郵便番号　101-0046
東京都千代田区神田多町2-2
電話　03-3252-3111
振替　00160-3-47799
https://www.hayakawa-online.co.jp

ISBN978-4-15-210222-5 C0010　定価はカバーに表示してあります。
Printed and bound in Japan
乱丁・落丁本は小社制作部宛お送り下さい。送料小社負担にてお取りかえいたします。